El plan integral de
# desintoxicación

# Sarah Brewer

## El plan integral de
# desintoxicación

Un programa de 12 etapas para incrementar
tu energía y fortalecer tu salud

Título original: Natural Power: Total Detox Plan. Design copyright © 2000, 2003
Carlton Books Ltd. Text Copyright © 2000 Dr. Sarah Brewer. All rights reserved.

De esta edición:
D. R. © Santillana Ediciones Generales, S.A. de C.V., 2004
Av. Universidad 767, col. del Valle
México, 03100, D.F. Teléfono (52 55) 54 20 75 30
www.alamah.com.mx

- Distribuidora y Editora Aguilar, Altea, Taurus, Alfaguara, S. A.
  Calle 80 núm. 10-23, Santafé de Bogotá, Colombia.
- Santillana Ediciones Generales, S. L.
  Torrelaguna 60-28043, Madrid, España.
- Santillana S. A.
  Av. San Felipe 731, Lima, Perú.
- Editorial Santillana S. A.
  Av. Rómulo Gallegos, Edif. Zulia 1er. piso
  Boleita Nte., 1071, Caracas, Venezuela.
- Editorial Santillana Inc.
  P.O. Box 19-5462 Hato Rey, 00919, San Juan, Puerto Rico.
- Santillana Publishing Company Inc.
  2043 N. W. 87 th Avenue, 33172, Miami, Fl., E. U. A.
- Ediciones Santillana S. A. (ROU)
  Cristóbal Echevarriarza 3535, Montevideo, Uruguay.
- Aguilar, Altea, Taurus, Alfaguara, S. A.
  Beazley 3860, 1437, Buenos Aires, Argentina.
- Aguilar Chilena de Ediciones Ltda.
  Dr. Aníbal Ariztía 1444, Providencia, Santiago de Chile.
- Santillana de Costa Rica, S. A.
  La Uruca, 100 mts. Oeste de Migración y Extranjería,
  San José, Costa Rica.

Primera edición: mayo de 2004
ISBN: 968-19-1435-X
Traducción: Rubén Heredia Vázquez
D. R. © Diseño de cubierta: Antonio Ruano Gómez
Diseño de colección: Ideograma (www.ideograma.com.mx), 2001
Diseño de interiores: La buena estrella

Impreso en México

# ÍNDICE

Advertencia

El *plan integral de desintoxicación* ofrece información y opiniones de médicos y otros profesionales que pueden ser de interés general para el lector. Sólo es un libro de consulta y no pretende servir como texto médico ni guía de procedimientos para doctores o pacientes. La información y opiniones aquí contenidas pertenecen de forma exclusiva al autor y no deberán ponerse en práctica sin supervisión profesional. La casa editorial se desliga de cualquier responsabilidad relacionada con la veracidad de la información así como con las consecuencias que pueda tener el uso de este libro para el lector.

# INTRODUCCIÓN

La desintoxicación es una técnica popular que te ayuda a corregir una dieta y estilo de vida insanos. Aunque la ciencia moderna hace énfasis en los principios que abordaremos aquí, esta técnica se basa en prácticas antiguas halladas en varias culturas alrededor del mundo.

Para algunas personas la decisión de purificarse puede estar motivada por un deseo de perder peso y mejorar la condición física, o como respuesta a síntomas como pereza, falta de energía, infecciones recurrentes o dificultad para manejar el estrés excesivo. Otras personas se despiertan un buen día con un gran malestar, la lengua con saburra, mal aliento, piel opaca y una profunda necesidad de comenzar a eliminar de su cuerpo, dieta y ambiente todas las toxinas que puedan.

La desintoxicación es un proceso simple de limpieza que consta de dos etapas, y que es seguido por un plan de equilibrio nutricional.

No es necesario seguir un régimen riguroso de ayunos y privaciones extremosos. De hecho, liberar demasiadas toxinas en un periodo muy corto de tiempo puede resultar dañino. Es preferible seguir una dieta simple, placentera y sana que incluya jugos frescos y orgánicos, frutas, verduras, ensaladas, legumbres, cereales integrales, bioyogurt vivo, queso *cottage*, pescado y pollo. Las verduras pueden prepararse en sopas, cocerse ligeramente al vapor, o incluso, servirse frescas cuando sea apropiado.

Se emplea toda una variedad de remedios herbarios para impulsar la eliminación de toxinas de tu cuerpo y, una vez que concluye el proceso de limpieza, se echa a andar un programa de equilibrio para mejorar tu nutrición integral, corregir deficiencias alimenticias y apoyar el plan de desintoxicación.

Durante el proceso de desintoxicación también pueden emplearse técnicas complementarias como masaje, cepillado en seco de la piel, hidroterapia, meditación, homeopatía, acupuntura y aromaterapia.

Este libro te ayudará a evaluar qué tan importante es tu necesidad de desintoxicarte y te guiará a través de etapas tan importantes como la limpieza y el equilibrio para que obtengas beneficios tales como la mejora de tu inmunidad a las infecciones y la renovación de tu entusiasmo vital. Y para hacer todo este proceso más placentero, te enseñará a usar una variedad de técnicas que ayudarán a que te sientas más enérgico, relajado y a gusto conforme mejora tu salud general.

# 1
# ¿PARA QUÉ DESINTOXICARSE?

La desintoxicación es el proceso natural en el que el cuerpo neutraliza las toxinas y las prepara para su eliminación mediante las acciones del hígado, riñones, intestinos, pulmones y glándulas sudoríparas de la piel. Todos sentimos la necesidad de desintoxicarnos de vez en cuando. Es por ello que nos planteamos buenos propósitos relacionados con la salud al comienzo de año nuevo: ponernos en forma, reducir el consumo de alcohol, dejar de fumar, comer alimentos orgánicos, etcétera. Sin embargo, lo ideal sería que en lugar de ver la desintoxicación como un programa ocasional para mejorar nuestra salud, la convirtiéramos en un modo de vida.

La desintoxicación ayuda al cuerpo a deshacerse de sustancias con potencial dañino y a que mejore el funcionamiento de importantes órganos de eliminación como el hígado, riñones, tracto intestinal y piel. Asimismo, tiene una importancia vital para las personas que sufren de estrés, cansancio o debilidad constantes, las que tienen una baja inmunidad a las enfermedades o las que presentan una tendencia a padecer alergias, jaquecas, resequedad y comezón en la piel, producción excesiva de moco y mala concentración.

Vivimos en un mundo tóxico y todos los días nos bombardean sustancias químicas dañinas que pueden tener su origen en nuestros alimentos, estilo de vida, entorno inmediato e, incluso, en nuestro propio metabolismo y en los medicamentos que tomamos.

Casi toda la gente sabe que su dieta necesita mejorar ya sea al reducir su consumo de la llamada "comida chatarra", de sal, azúcar y cafeína, o al comer más frutas y verduras y al obtener un mejor equilibrio de las grasas omega 3 y omega 6, y de las grasas saturadas. También sabe que nuestra calidad de vida puede mejorarse al hacer más ejercicio, evitar el humo del cigarrillo y reducir el consumo de sustancias adictivas, incluido el alcohol.

Se estima que cada año, los adultos occidentales se exponen a más de seis kg de aditivos, colorantes, sabores, conservadores, ceras y productos agroquímicos como fertilizantes, sustancias promotoras del crecimiento, pesticidas y residuos herbicidas. La Agencia para la Protección del Ambiente de Estados Unidos considera que el 60 por ciento de los herbicidas, 90 por ciento de los fungicidas y 30 por ciento de los insecticidas poseen potencial cancerígeno. Todo esto tiene efectos tóxicos sobre los humanos.

Estamos rodeados asimismo de contaminantes atmosféricos como los clorofluorocarbones, la lluvia ácida, los gases industriales y el humo de los automóviles. Algunos metales tóxicos como el plomo, el aluminio y el cadmio se hallan muy difundidos en nuestro medio ambiente, y otros como el mercurio se encuentran incluso en nuestra propia boca (en las amalgamas de nuestros dientes).

Cada vez que inhalas humo de cigarrillo –aun cuando no seas tú quien lo fume– te expones a cerca de 4 mil productos químicos, de los cuales se sabe que un número significativo es cancerígeno. El agua potable sin filtrar contiene rastros de casi mil sustancias químicas, mientras que a nuestros alimentos se les añaden más de 10 mil productos artificiales para mejorar su crecimiento, aspecto y duración en almacenamiento. Pocas de estas sustancias mejoran el valor nutricional de los alimentos.

El hígado es el órgano interno de desintoxicación más importante del cuerpo. Aunque tiene una asombrosa capacidad de regeneración, las funciones de sus enzimas a menudo quedan entorpecidas por una dieta insuficiente, excesiva o grasosa y por el abuso en el consumo de alcohol. Esto produce una variedad de síntomas que incluyen hinchazón, flatulencia, falta de energía y fatiga, los cuales pueden mejorarse de manera significativa si se sigue un programa de desintoxicación.

## Órganos de desintoxicación

La piel es el órgano de desintoxicación más grande y cumple con importantes funciones eliminatorias. Un creciente número de personas sufre de padecimientos inflamatorios de la piel como el acné, el eczema, la psoriasis, infecciones cutáneas o, simplemente, una apariencia deslustrada. La desintoxicación promueve un rápido mejoramiento en la textura y apariencia de la piel, y hace que en verdad se vea *radiante de salud*.

El tracto intestinal también realiza importantes acciones eliminatorias; sin embargo, los desórdenes como el síndrome del intestino irritable, la disbiosis (equilibrio bacterial anormal) y el estreñimiento se encuentran muy extendidos entre la población.

## ¿Qué hace la desintoxicación?

La desintoxicación trae una serie de beneficios que incluye el mejoramiento de la salud y la inmunidad, claridad mental, energía adicional y vitalidad. La piel se vuelve más limpia, los intestinos funcionan con más regularidad, y el hígado y los riñones trabajan con mayor eficiencia. Como resultado, puede reducirse el riesgo de padecer enfermedades modernas como las reacciones ante el estrés, los padecimientos inflamatorios, las enfermedades coronarias, las infecciones recurrentes, los desequilibrios hormonales, la baja fertilidad, e incluso, el cáncer.

La desintoxicación implica el seguimiento de un programa a largo plazo que elimine las toxinas del cuerpo mediante cambios alimenticios relativamente sencillos. Si lo deseas, puedes ayunar por uno o dos días al principio, pero esto no es obligatorio y puede no ser recomendable para algunas personas. También podrías contribuir a eliminar la carga tóxica al tensar el cuerpo y liberar un gran número de radicales libres –productos dañinos derivados del metabolismo que son capaces de dañar las células y el material genético–, y toxinas almacenadas en tejidos grasos (adiposos). Por lo tanto, es mejor evitar los ayunos "a pura agua" y seguir un ayuno de jugos o llevar una dieta simple a base de frutas y verduras orgánicas, y cereales integrales como el arroz integral al vapor. Para impulsar la eliminación de toxinas, también resulta útil tomar suplementos vitamínicos, minerales y herbarios. Además de limpiar el cuerpo, estos suplementos ayudan a mejorar la nutrición general, corregir deficiencias alimenticias, apoyar los procesos naturales de desintoxicación del cuerpo y fortalecer la inmunidad.

Pocos de nosotros obtenemos de nuestra dieta las cantidades adecuadas de antioxidantes protectores como las vitaminas A, C y E, y aquellas que obtenemos suelen ser ineficientes para eliminar los radicales libres debido a nuestra carencia de zinc. Un número significativo de hombres presenta deficiencia de zinc, pues en cada eyaculación se pierden cinco mg de éste –un tercio de la cantidad diaria requerida por un adulto. Sin embargo, es relativamente fácil hacer la prueba para detectar la deficiencia de zinc y corregirla (véase p. 97). Algo que resulta más preocupante –y más difundido– es la carencia de selenio, el mineral antioxidante más importante. Por ejemplo, en el Reino Unido el consumo promedio de selenio se ha reducido a casi la mitad durante los últimos veinte años, de 60 a 34 microgramos diarios. Las personas que muestran el consumo más bajo de selenio tienen mayor riesgo de desarrollar leucemia o cánceres de colon, recto, estómago, mamas, ovarios, páncreas, próstata, vejiga, piel y pulmones. Un estudio realizado al azar en 1312 pacientes mostró que aquellos que recibieron 200 microgramos de selenio al día tenían un riesgo 52 por ciento menor de morir de cáncer que aquellos que recibieron un placebo. Como corolario, la prueba fue detenida a tiempo para que todos pudieran beneficiarse al tomar suplementos de selenio.

Una vez que has elegido los cambios necesarios en tu alimentación y estilo de vida, así como los suplementos purificadores o nutritivos que deseas tomar, el siguiente paso es decidir qué terapias complementarias incluirás en tu programa de desintoxicación. Las más populares son el masaje, el cepillado de la piel, la hidroterapia, la meditación, la homeopatía, la acupuntura, la aromaterapia y la irrigación del colon. Las sesiones de sauna o de cuarto de vapor pueden resultar benéficas para ciertas personas al promover la sudoración y la eliminación de toxinas a través de la piel.

Aunque todos pueden beneficiarse con la desintoxicación, el proceso no siempre resulta fácil. El retiro de algunas sustancias como la cafeína puede provocar irritabilidad pasajera mientras que la eliminación de ciertas toxinas es capaz de producir síntomas breves como la aparición de granos o saburra en la lengua. Las probabilidades de que esto ocurra serán mayores si tratas de desintoxicarte demasiado rápido, como cuando te sometes a ayunos "a pura agua". Es más fácil y placentero tomarse las cosas con calma, llevar una dieta simple y beber agua de manantial además de una selección de jugos.

Un proceso de desintoxicación debe iniciarse sólo cuando uno se siente relativamente bien y en forma. Si te hallas enfermo, convaleciente o bajo medicación prescrita, no comiences un programa completo de desintoxicación sin la aprobación de tu médico. Puedes, por el contrario, hacer cambios saludables en tu dieta y estilo de vida. Esto puede incluir el consumo de algún suplemento nutricional de los llamados "de la A a la Z" que incluya todas las vitaminas y minerales, una preparación antioxidante con selenio y vitaminas A, C y E, y aceite de prímula para obtener ácidos grasos esenciales.

No inicies un programa integral de desintoxicación si te encuentras embarazada o en amamantamiento. En cambio, lleva una dieta sana, evita por completo el tabaco y el alcohol, y toma un suplemento multivitamínico y mineral especial para mujeres embarazadas, además de una fórmula especial de ácidos grasos esenciales basada en aceite de prímula y ácido docosahexenoico derivado de grasas de pescado o de extractos de algas.

# 2
# EVALÚA

La desintoxicación es la manera en que tu cuerpo elimina sustancias dañinas. Éstas pueden ser producto de tu propio metabolismo o entrar en tu organismo por medio del aire que respiras, la comida y bebida que consumes, los productos químicos a los que te expones o las toxinas y alergenos producidos por microorganismos que habitan en tus intestinos. La desintoxicación es un proceso que ocurre naturalmente en tu cuerpo de manera continua. Sin embargo, tan pronto como unas toxinas se eliminan, aparecen otras nuevas, a menos que sigas un programa de desintoxicación. El principio fundamental de la desintoxicación es reducir la cantidad de toxinas a las que te expones, de tal forma que tu cuerpo pueda hacerse cargo con efectividad de aquellas que ya se alojan en tu organismo.

## ¿Qué son las toxinas?

Una toxina es un agente capaz de dañar cualquier sistema del cuerpo. Las toxinas se clasifican en exógenas, endógenas y autógenas. Las toxinas exógenas provienen de fuentes externas como el tabaco, drogas, estimulantes, amalgamas dentales, humo de vehículos, monóxido de carbono, plomo, dióxido de nitrógeno y dióxido de azufre. Ciertos factores emocionales como estrés, ansiedad, tristeza y depresión también se incluyen en esta categoría. Las toxinas endógenas son consecuencia de infecciones virales o bacterianas, y de los productos derivados del metabolismo de ciertas bacterias y levaduras que habitan en los intestinos. Las toxinas autógenas se generan a partir del metabolismo del propio cuerpo.

## ¿Necesitas desintoxicarte?

Si tienes en mente seguir un programa de desintoxicación, quizá hayas notado en ti una serie de síntomas
nada específicos que podrían deberse a un exceso de
toxinas. De los síntomas que enlistaremos a continuación, marca aquellos que sufres con regularidad. Entre
más hayas marcado, es más probable que necesites desintoxicarte. Sin embargo, ten presente que siempre debes
notificar a tu médico sobre cualquier síntoma recurrente que te preocupe, pues podría tratarse de una
enfermedad más seria que requeriría de un estudio o
tratamiento más profundo.

### Síntomas de la toxicidad

- Rubor facial.
- Palpitaciones.
- Aceleración del pulso.
- Aturdimiento.
- Debilidad.
- Retortijones.
- Sensación de picazón.
- Insomnio o malos patrones de sueño.
- Somnolencia, cansancio físico, agotamiento, letargo
  o fatiga.
- Jaqueca.
- Indigestión, acidez estomacal o úlceras pépticas.
- Pérdida del apetito.
- Alergias alimenticias.
- Náuseas.
- Hinchazón.
- Tobillos inflamados por retención de fluidos.
- Flatulencias.
- Diarrea o estreñimiento.
- Hemorroides.
- Micciones frecuentes.

- Infecciones recurrentes.
- Trastornos alérgicos (que incluyen eczema, urticaria y asma).
- Exceso de mucosidad (en nariz, oídos, garganta o evacuaciones).
- Congestión sinusal.
- Halitosis (mal aliento).
- Problemas inflamatorios que incluyen gota, dolores articulares y psoriasis.
- Acné, manchas, granos y furúnculos.
- Sudoración abundante.
- Síndrome premenstrual.
- Tos.
- Jadeos.
- Dolor de garganta.
- Cuello duro o rígido.
- Mala circulación en ciertas partes del cuerpo.
- Elevación en los niveles de grasa en la sangre.
- Dolor de espalda.
- Resequedad e irritación en la piel.
- Celulitis (piel de cáscara de naranja).
- Irritación o inflamación recurrente de los ojos.
- Ojos hinchados o con ojeras al despertar.
- Variaciones en el peso, exceso de peso u obesidad.
- Bajo apetito sexual.
- Dificultades para concebir.

¡Alerta sanitaria! Mercurio

El mercurio es un metal muy tóxico que se encuentra en los pesticidas y fungicidas, el pescado (sobre todo el atún) proveniente de aguas contaminadas, los desechos industriales y las amalgamas dentales.

Es importante evitar que se nos coloquen o retiren amalgamas dentales de mercurio durante la desintoxicación. Posteriormente, quizá te convenga consultar a algún dentista especializado en remover amalgamas de mercurio. Los dientes suelen ser reparados en cuadrantes —un cuarto de la boca cada vez— y deben tomarse suplementos que se adhieran al mercurio y ayuden a eliminarlo del cuerpo. Se estima que por cada año que las amalgamas de mercurio hayan estado en tu boca, le tomará al cuerpo un mes para desintoxicarse y para que todo el mercurio sea eliminado de los tejidos.

## Hábitos tóxicos que es preferible evitar

Al viejo dicho de que "somos lo que comemos" se le reconoce cada vez más como cierto. Las personas que siguen una dieta sana, orgánica e integral con una buena ingestión de vitaminas, minerales, antioxidantes y fitoquímicos protectores (los cuales se encuentran en plantas de efecto benéfico en el cuerpo humano), tienen menos probabilidades de sufrir problemas de salud a largo plazo que aquellas que siguen una dieta de alimentos procesados y comida rápida, los cuales contienen grasa, sal, azúcar y aditivos en exceso.

De la siguiente lista de hábitos alimenticios, marca los que sigues de manera más común. Entre más de ellos marques, más probable será que te convenga un programa de desintoxicación:

- Sigues una dieta a base de productos no orgánicos.
- Bebes agua del grifo sin filtrar.
- Bebes té, café u otras bebidas con cafeína.
- Usas edulcorantes artificiales.
- Consumes alimentos fritos.
- Consumes alimentos semipreparados o comida rápida.
- Consumes alimentos procesados (arroz blanco, pan blanco) en lugar de alimentos integrales (arroz integral, pan integral).
- Añades sal a la comida al cocinar y cuando comes.
- Consumes alimentos salados (cacahuates y aceitunas salados o comida enlatada en salmuera).
- Consumes alimentos ahumados (arenque, salmón, tocino o queso ahumados).
- Consumes azúcar o confites (dulces, chocolates, etcétera).
- Consumes carnes asadas, al carbón o procesadas.
- Empleas utensilios de aluminio para cocinar (los cuales deben sustituirse pues el aluminio puede colarse en la comida, acumularse en el cuerpo y producir efectos tóxicos).

### Hábitos tóxicos que deben abandonarse

Existe una serie de factores personales y de estilo de vida que pueden indicar que necesitas desintoxicarte. Estos incluyen:

- Beber más de dos vasos de vino, cerveza o licor al día.
- Fumar.
- Usar drogas ilegales.
- Trabajar en jornadas muy largas sin tiempo para relajarte o realizar actividades placenteras.
- El ausentismo laboral.
- Tener amalgamas de mercurio en los dientes.

- Tomar analgésicos con regularidad.
- Someterse con frecuencia a tratamientos con antibióticos.

De nuevo, entre más factores marques, más probable es
que te beneficies de la desintoxicación.

## ¿ES TÓXICO TU MEDIO AMBIENTE?

La exposición a toxinas ambientales puede cobrar una
alta cuota a tu salud general. De los siguientes factores,
marca aquellos con los que coincidas:

- Vives cerca de un área industrial y te expones a las
  emanaciones industriales.
- Vives cerca de una calle principal y te expones al
  humo de vehículos.
- Vives en el campo y te expones a productos químicos de granja como los fertilizantes y pesticidas.
- Vives cerca de cables de alto voltaje.
- Vives cerca de algún aeropuerto o ruta de vuelo.
- Trabajas en una industria donde te expones a sustancias tóxicas (como pinturas, solventes y metales
  pesados).
- Trabajas en una ciudad y te expones tanto al humo
  de vehículos como al industrial.
- Te expones a la contaminación electromagnética de
  los rayos x, las microondas y la radiación ultravioleta.
- Te expones a fugas de gas de aparatos domésticos (haz
  revisiones frecuentes con herramientas para detectar fugas de monóxido de carbono).

### Toxicidad y estrés

Algunos síntomas emocionales también se han vinculado con el exceso de toxinas. Aquellos que pueden in-

dicar una necesidad de desintoxicar tu vida y reducir tus niveles de estrés incluyen los siguientes:

- Malestar emocional general.
- Pérdida del sentido del humor.
- Dificultad para concentrarte.
- Sensación general de embotamiento.
- Mala memoria.
- Olvidos frecuentes.
- Comentarios negativos sobre uno mismo.
- Cansancio mental.
- Cambios en el estado de ánimo.
- Depresión.
- Irritabilidad.
- Explosiones de enojo.
- Sentimientos abrumadores de ansiedad y pánico.

Es importante que te desintoxiques cuando tu cuerpo te indique el momento justo. Conozco a mucha gente que sucumbe ante la moda popular de iniciar un programa de purificación y que acaba por tener una mala experiencia con pocos resultados positivos. Si escuchas a tu cuerpo, éste te hará saber cuando esté listo.

## ¿Cuándo debo iniciar un programa de desintoxicación?

Por tradición, a la primavera se le considera la época ideal para embarcarse en un programa de desintoxicación. Otra época muy popular es enero, después de los excesos de la navidad y con la presión de las promesas de año nuevo.

Una vez acostumbradas a este estilo de vida, muchas personas eligen seguir un ayuno con jugos por un día a la semana, por unos cuantos días al mes o por una o dos semanas una o dos veces al año para dar a su cuerpo un impulso regular de desintoxicación.

## ¿Cuánto tarda?

Por desgracia, la desintoxicación tiene que seguir su propio ritmo, pues no puede acelerarse. Casi cada célula de tu cuerpo se renueva en el transcurso de un año, así que, en teoría, tomará al menos un año para que todas las toxinas acumuladas en tu vida se movilicen para ser eliminadas. Durante dicho periodo surgirán nuevas toxinas y éstas también necesitarán procesarse.

Aunque tú puedes seguir un plan estricto de desintoxicación por unas cuantas semanas para ayudar a poner en marcha el proceso, lo ideal es ver a la desintoxicación como un modo de vida, de manera que reduzcas las toxinas a las que te expones a largo plazo.

### Ventajas de la desintoxicación

Marca cualquiera de los siguientes beneficios que te interese obtener:

- Limpiar y purificar tu cuerpo.
- Rejuvenecer.
- Aumentar tus niveles de energía.
- Aumentar tus sentimientos de vitalidad.
- Fortalecer tu inmunidad.
- Limpiar tu piel.
- Mejorar tu flexibilidad.
- Mejorar tu fertilidad.
- Aumentar tu creatividad.
- Elevar tu productividad.
- Mejorar tu memoria y concentración.
- Perder peso.
- Bajar tu presión sanguínea.
- Reducir tus niveles de grasa en la sangre.
- Mejorar tu salud intestinal.
- Agudizar tus sentidos.

---

**¡Alerta sanitaria!**

No sigas un programa de desintoxicación si:

- Estás embarazada.
- Te encuentras en amamantamiento.
- Te hallas convaleciente.
- Recibes tratamiento médico (a menos que tu doctor considere que tienes la suficiente condición física para hacerlo).

---

## Evaluación de las necesidades de desintoxicación por medio de terapias complementarias

Las terapias complementarias tienen un enfoque holístico basado en la idea de que la salud física se deriva del equilibrio emocional.

Varias de estas terapias, que incluyen la iridología, la quinesiología, la fotografía Kirlian y la reflexología pueden detectar una acumulación de toxinas en el cuerpo y ayudarte a decidir si necesitas o no seguir un programa de desintoxicación.

Cuando elijas a algún médico de medicina alternativa, toma en cuenta que los estándares de capacitación y experiencia varían mucho. Si es posible:

- Elige a un terapeuta recomendado por un cliente satisfecho en quien tú confíes.
- Revisa el reconocimiento profesional del terapeuta y cerciórate de que esté registrado en el organismo oficial que corresponde a su profesión. Ahí deberás encontrar información sobre el tipo de capacitación que recibió y el código ético que deben respetar los miembros de tal asociación. Ésta también

deberá ser capaz de enviarte una lista con los practicantes calificados más cercanos a tu domicilio.
- Averigua cuánto puede durar y costar tu tratamiento.
- Pregunta cuánta experiencia en desintoxicación posee el terapeuta y cuál es el índice de éxito para tus
problemas particulares.

## Iridología

La toxicidad puede detectarse mediante cambios en los
ojos y la iridología (el estudio del iris) es una manera
bien reconocida de hacerlo. El iris es algo tan único
para el individuo como las huellas dactilares y cada una
de sus partes se relaciona con una zona particular del
cuerpo. El ojo se estudia por amplificación, lo cual permite que se detecten las virtudes y defectos genéticos
junto con las tendencias a la acidez, los excesos de mucosidad y los depósitos de toxinas, además de las dis-
funciones de los órganos y sistemas mayores.

El iris se compone de tejidos conectivos que contienen alrededor de 28 mil terminaciones nerviosas, las
cuales están conectadas con el cerebro. Éstas permiten
que el cerebro reciba información continua sobre el
funcionamiento de los órganos, y los mensajes que recibe quedan registrados  en marcas que aparecen en el
iris. Algunas marcas genéticas como las de los depósitos
en el hígado (conocidos como *psora*) son hereditarias y
proporcionan un panorama general de la constitución
del individuo. Son capaces de indicar puntos proble-
máticos varios años antes de que se desarrollen síntomas. Existen tres tipos de constitución:

- Linfática: ojos color azul, azul verdoso, azul verdoso
amarillento y gris.
- Hematógena: ojos color café oscuro.
- Biliar mixta: ojos color miel y café claro.

Un iridólogo experimentado puede detectar la toxicidad y el grado en que se encuentra, además de la presencia de depósitos de metales, exceso de acidez, congestión, o acumulaciones de azufre, sodio o colesterol. Se les presta especial atención a las señales de los órganos de eliminación: hígado, piel, riñones, vejiga, pulmones y sistema linfático. Los iridólogos también buscan la presencia de anillos nerviosos, los cuales indican un exceso de tensión y estrés. Cuando se sigue un programa de desintoxicación, el color de los iris cambiará conforme mejore la salud. Esto suele ocurrir en el transcurso de varios años, pero a veces el color del iris se vuelve más claro y brillante después de unos cuantos meses de seguir una dieta y un estilo de vida más sanos.

## Quinesiología

La quinesiología basa su diagnóstico en la idea de que los grupos de músculos se relacionan con los órganos internos, las glándulas y la circulación. Los quinesiólogos creen que la manera en que los músculos y los reflejos responden a la presión suave señala con precisión los desequilibrios en el funcionamiento del cuerpo y en el fluir de la energía. Las alergias alimenticias se diagnostican con la evaluación de la resistencia muscular. Para ello, puede sostenerse un alimento en particular contra la mandíbula o colocárselo debajo de la lengua. También se utiliza el masaje de puntos de presión con la punta de los dedos para estimular la circulación y corregir cualquier desequilibrio.

Los quinesiólogos creen que sus pruebas eliminan las conjeturas al diagnosticar problemas relacionados con la toxicidad, pues el propio cuerpo revela lo que se necesita hacer para evitar toda una variedad de síntomas. Una vez que completan el diagnóstico, los terapeutas ofrecen orientación nutricional, quizá para determinar qué minerales y vitaminas faltan y sugerir cambios en el estilo de vida que beneficien al cuerpo. Para tener una salud óptima, se evalúan cuatro áreas bien definidas:

- Equilibrio mental y emocional.
- Equilibrio bioquímico y nutricional.
- Equilibrio estructural y postural.
- Equilibrio de la energía o de la fuerza vital.

El equilibrio quinesiológico puede deshacer bloqueos de energía y liberar tu entusiasmo natural por la vida durante y después del proceso de desintoxicación.

## Fotografía Kirlian

En esta técnica de diagnóstico, el campo electromagnético del cuerpo se fotografía y analiza por medio de una imagen Kirlian. Esto se logra al colocar parte del cuerpo —por lo regular, las manos o los pies— en una placa fotográfica que emite una señal eléctrica de voltaje y frecuencia altos. La manera en que la energía corporal interactúa con dicha señal eléctrica produce un patrón de interferencia que puede fotografiarse para mostrar tu aura electromagnética individual, la cual varía según tu estado de salud. Los patrones producidos por la fotografía Kirlian pueden analizarse para mostrar qué áreas de tu cuerpo se hallan más afectadas por la toxicidad y para observar el progreso de tu programa de desintoxicación. (Las imágenes hechas para el público en general suelen ser en blanco y negro pues el Kirlian a color es bastante caro.)

## Reflexología

El antiguo arte de la reflexología es una técnica de diagnóstico basada en el principio de que los reflejos —ciertos puntos que existen en las manos y pies– se relacionan de manera indirecta con todos los demás órganos, estructuras y funciones del cuerpo. Estas áreas se trazan en las manos y pies: los derechos en correspondencia con el lado derecho del cuerpo y los izquierdos con el izquierdo. Al aplicar presión sobre los reflejos se revelan áreas de dolor, lo cual ayuda a señalar con precisión las partes del cuerpo que se hallan especialmente afectadas por la toxicidad. Se cree que dar masaje en esos puntos doloridos con ligeros movimientos de presión estimula los nervios para que envíen mensajes a los órganos lejanos y se alivien los síntomas. La reflexología puede hacer mejorar la circulación, normalizar las funciones corporales y aliviar toda una serie de síntomas relacionados con la toxicidad que incluyen la migraña, congestión mucosa, problemas digestivos y estrés.

Ahora que has evaluado tu necesidad de desintoxicarte, ya puedes iniciar tu programa de purificación y equilibrio.

# 3
# PURIFICA

La primera etapa de un programa de desintoxicación es el proceso de limpieza. Éste ayuda a eliminar las toxinas de tu cuerpo con lo que pronto te hará sentir más vigoroso que antes. El objetivo principal de la desintoxicación es limpiar tu cuerpo de tantas toxinas como sea posible. Para hacer esto, necesitas eliminarlas de tu organismo y reducir tu ingestión de otras nuevas. Los pasos que te ayudarán a limpiar tu organismo son:

- Llevar una dieta a base de jugos.
- Seguir un régimen alimenticio purificador, simple y ligero.
- Beber bastantes líquidos para drenar las toxinas solubles en agua por medio de tus riñones.
- Tratar de consumir exclusivamente productos orgánicos.
- Reducir tu exposición a factores alimentarios y de estilo de vida que tengan potencial dañino como la sal, azúcar, cafeína, alcohol y humo de tabaco (de manera activa o pasiva).
- Promover la buena salud intestinal por medio de suplementos probióticos.
- Apoyar el funcionamiento del hígado mediante suplementos herbarios.

## Purificación

Las toxinas son expulsadas del cuerpo de varias maneras, pero en especial por vía de:

- El hígado –para su eliminación final por medio de los pulmones, los riñones y el tracto intestinal.
- Los pulmones –que exhalan el venenoso $CO_2$ y otros gases de desecho.
- Los riñones –que expulsa la urea y otras toxinas solubles en agua.
- El tracto intestinal –que excreta toxinas solubles tanto en agua como en grasa además de los desechos alimenticios.
- La piel –que elimina productos de desecho solubles en agua y en grasa por vía de la evaporación, la transpiración y la grasa (sebo).
- El pelo y las uñas –que eliminan algunas sustancias tóxicas como los metales pesados.
- Las lágrimas, secreciones nasales, flemas, cera de los oídos y flujo menstrual también son capaces de desechar cantidades menores de toxinas.

Las toxinas solubles en agua se excretan principalmente por vía de la orina, la piel y los pulmones, mientras que las moléculas solubles en grasa se eliminan por medio de la bilis y el tracto intestinal.

### El hígado

Con un peso de un poco más de un kg, el hígado es la glándula más grande del cuerpo. Se localiza arriba y muy a la derecha del estómago y cumple una serie de funciones importantes que incluyen:

- La producción de la bilis para digerir la comida.
- La eliminación de las toxinas ambientales (como pesticidas, fertilizantes y alcohol) de la sangre.
- La remoción de las toxinas producidas durante el metabolismo (como el amoniaco formado por el metabolismo de los aminoácidos) y su reubicación en sustancias más seguras para su excreción (por ejemplo, en la urea).

- La desintegración de grasas, hormonas y proteínas excesivas.
- La fabricación de glucosa cuando se requiere para mantener los niveles de azúcar en la sangre.
- La producción de calor para entibiar la sangre que pasa por él.
- La creación de proteínas sanguíneas, incluidas las requeridas para la coagulación de la sangre.
- El control de la formación y la destrucción de las células sanguíneas, así como el reciclaje del hierro contenido en la hemoglobina, el pigmento rojo de la sangre.
- El almacenamiento de vitaminas solubles en agua (A, D, E y K) y de algunos minerales como el hierro y el cobre.

Las células del hígado contienen más enzimas desintoxicantes que cualquier otro tejido del cuerpo, pues casi todos los procesos de desintoxicación comienzan en el hígado. Todo lo que comes o bebes, con excepción de algunas pequeñas partículas de grasa, se absorbe de los intestinos y se lleva directo al hígado por medio de la vena portal hepática. Las excepciones mencionadas entran en el sistema linfático.

El hígado elimina las toxinas del cuerpo al transformar las sustancias químicas solubles en grasa en compuestos solubles en agua, de manera que puedan expelerse a través de los intestinos, riñones, pulmones y sudor. Por lo general, desintoxica el organismo de drogas, toxinas ambientales y agentes cancerígenos al "conjugarlos" (unirlos) con otras sustancias químicas. La combinación de las toxinas con esas sustancias hace que el material se vuelva más soluble y fácil de expulsar del cuerpo. Este proceso de conjugación lo lleva a cabo una familia de enzimas desintoxicantes.

Algunas de las sustancias producidas durante la primera etapa de desintoxicación del hígado son aún más

tóxicas que la toxina original –por ejemplo, el acetaldehído es más tóxico que el alcohol. Sin embargo, estas supertoxinas se conjugan con otras sustancias que tienden
a hacerlas menos tóxicas y más solubles en agua, de manera que puedan eliminarse del cuerpo con mayor facilidad.

Si las reacciones de la segunda etapa resultan ineficientes o se sobrecargan por una producción excesiva de
toxinas intermedias durante la primera etapa, dichas
supertoxinas pueden acumularse en el cuerpo y desencadenar la llamada "desintoxicación tóxica" (véase p. 40).
Sin embargo, pueden tomarse suplementos para ayudar a reducir los efectos secundarios de las supertoxinas y para impulsar la actividad de la segunda fase de
desintoxicación del hígado (véanse pp. 68-74).

La exposición prolongada a ciertas toxinas como el
alcohol o el 3-hidroxibenzopireno, halladas en el humo
del tabaco, incrementa la producción de las enzimas
desintoxicantes requeridas para su procesamiento, de
manera que el cuerpo se vuelve cada vez más resistente
a esa toxina en particular. Esto significa que cuando inicies un proceso de desintoxicación, tu cuerpo desecha-
rá mejor las toxinas a las que más te has expuesto.

## Los pulmones

Los dos pulmones ponen en estrecho contacto la sangre de la circulación y el aire que inhalas a través de sus
2400 kilómetros de tubos bronquiales, los cuales proporcionan una superficie total de 180 metros cuadrados. Una vez que el aire alcanza los pulmones, entra a
los 700 millones de pequeños espacios aéreos conocidos como alveolos. Éstos se encuentran rodeados por
una red de finos vasos sanguíneos llamados capilares. A
través de las delgadas paredes de los alveolos ocurre un
intercambio gaseoso, de manera que el oxígeno pasa de
dichas bolsas de aire a los capilares, donde se adhiere a

la hemoglobina de los glóbulos rojos. El venenoso gas celular de desecho (dióxido de carbono) recorre el camino opuesto —de la sangre a los alvéolos— para su excreción. Las toxinas volátiles, como la acetona, también son eliminadas por medio de los pulmones. Cada minuto se inhalan alrededor de seis litros de aire y se exhala un volumen similar. Esto convierte a los pulmones en un sistema de eliminación muy eficiente para las toxinas gaseosas y volátiles.

### Los riñones

Los riñones son dos órganos con forma de haba que se sitúan en la parte posterior del abdomen. Ellos regulan los niveles de líquido y sal en el cuerpo, controlan la acidez de la sangre y eliminan de la circulación las toxinas solubles en agua por filtración. Los riñones contienen cerca de un millón de unidades de filtración conocidos como nefrones. La sangre fluye por presión en los diminutos vasos sanguíneos de las unidades de filtración, forzando las sustancias líquidas y solubles como la urea (producida en el hígado como producto derivado del metabolismo proteínico) a través de las paredes capilares. Entonces, el líquido y las toxinas filtrados se concentran como nutrientes mientras que se reabsorben un poco de agua y algunas sales de regreso a la circulación. Los desechos restantes se expelen como orina. Los riñones filtran de la sangre hasta siete litros de líquido cada hora, lo cual hace de ellos un medio muy eficiente para desechar las toxinas solubles en agua.

### El tracto intestinal

La comida deglutida —incluidas las toxinas alimenticias— pasa al estómago para la digestión. El estómago es la parte más elástica del cuerpo y puede estirarse para contener dos litros de líquido. Las paredes estomacales contienen glándulas que secretan ácido clorhídrico y poderosas enzimas para descomponer las complejas moléculas de los alimentos en sustancias más simples. Las glándulas gástricas producen cerca de tres litros de secreciones ácidas al día. La comida pasa alrededor de seis horas en el estómago. Los músculos de la pared estomacal producen un movimiento de agitación que deshace la comida en partículas más pequeñas para formar una mezcla semidigerida y cremosa conocida como quimo. Entonces, los músculos estomacales realizan ciertas contracciones que impulsan el quimo hacia abajo para que salga del estómago a través del esfínter pilórico y entre en el intestino delgado. Aquí el medio es alcalino debido a los fluidos que segregan tanto las paredes del duodeno como el páncreas. En esta etapa de la digestión, la bilis del hígado chorrea sobre el quimo para emulsionar las grasas en partículas más pequeñas para su absorción. Las paredes del intestino delgado están cubiertas de pequeñas proyecciones o vellosidades llamadas *villis*. Éstas absorben los nutrientes y las toxinas desde los intestinos por medio de capilares sanguíneos que los llevarán directo al hígado. También hay ahí pequeños glóbulos de grasa que son absorbidos por los vasos linfáticos. Los desechos alimenticios, compuestos en su mayor parte por fibra, proporcionan el volumen suficiente para impulsar los contenidos del intestino delgado dentro del intestino grueso. Aquí, la fermentación bacteriana descompone parte de la fibra y el exceso de agua es absorbido para solidificar el material residual. Existen suplementos probióticos que cubren los intestinos con bacterias benéficas, lo cual ayuda a mantener un tracto intestinal sano y a reducir el número de microbios productores de toxinas. El hígado secreta algunas toxinas en la bilis para su eliminación por el tracto intestinal. La fibra alimenticia actúa como una esponja que absorbe esas toxinas y previene su reabsorción por el intestino, lo cual ayuda a eliminarlas.

## La piel

Con una superficie superior a los dos metros cuadrados, la piel forma el órgano más grande del cuerpo. Sus funciones son diversas e incluyen el proveer una barrera a prueba de agua como protección contra daños físicos e infecciones, ayudar a controlar la temperatura corporal y producir la vitamina D mediante el contacto con la luz solar. También es un importante órgano de eliminación. Contiene glándulas sudoríparas que pueden excretar las toxinas solubles en agua y glándulas sebáceas que pueden eliminar algunas toxinas solubles en grasa. También se deshace de toxinas por medio del proceso de desprendimiento de la piel muerta.

En casi todas partes la piel tiene un grosor cercano a los dos milímetros y se compone de dos capas: una externa llamada epidermis y otra interna conocida como dermis. Conforme las células recién formadas se mueven de la capa basal de la dermis hacia la superficie, poco a poco se aplanan, endurecen, y mueren para proveerle al cuerpo de una capa exterior dura, resistente al agua y que continuamente se desgasta y renueva. El cuerpo arroja 18 kg de células de piel durante un tiempo de vida promedio y éstas son la fuente principal del polvo en el hogar.

El cepillado de la piel promueve la eliminación de las células muertas y estimula la circulación, lo cual ayuda a remover otras toxinas a través de las glándulas sudoríparas y sebáceas. También ayuda a abrir los poros de manera que la piel pueda respirar. Cepilla tu piel todos los días con un cepillo especial con cerdas vegetales y utiliza otro más suave para la cara. La piel se cepilla en seco —no uses agua— y después puedes tomarte un baño o ducha tibios (no calientes). Te quedará una sensación maravillosa y una piel más suave y atractiva.

¡*Alerta sanitaria! Antitranspirantes*

En épocas recientes ha surgido una especulación científica que dice que el uso de antitranspirantes en las axilas podría relacionarse con el creciente riesgo de desarrollar cáncer de mama debido a que se impide el desalojo natural de las toxinas del cuerpo. Esta propuesta es interesante pero no ha sido demostrada. En la medida en que los antitranspirantes –al igual que las dietas grasosas y los ingresos elevados– se encuentran principalmente en las sociedades ricas de Occidente, entre las que hay una tendencia creciente a padecer varios tipos de cáncer, podría existir una correlación. Sin embargo, hasta ahora no hay pruebas fehacientes de ello y varios investigadores sienten que las toxinas de la axila pueden eliminarse por otros lados. No obstante, ha continuado una investigación sobre los posibles efectos adversos de los parabenos –conservadores que se añaden a los antitranspirantes.

Aunque en el presente no hay evidencias que sugieran que debemos dejar de usar desodorantes y productos relacionados, quizá valga la pena no usarlos durante el proceso de desintoxicación. A la larga, quizá encuentres conveniente evitar los productos que contengan parabenos.

Viste con ropa holgada hecha de fibras naturales como el algodón o la lana. Los materiales sintéticos no suelen ser tan absorbentes como las fibras naturales y pueden contener productos de alquitrán capaces de irritar la piel.

Durante la desintoxicación trata de evitar el uso de polvos, cremas o aceites cosméticos, con excepción de aquellos fabricados a base de aceite de prímula. Si te sientes demasiado incómoda sin maquillarte, trata de reducir al mínimo el uso de tus cosméticos.

## El pelo y las uñas

Los pelos son tubos de queratina que crecen desde unos folículos en la capa inferior (dermis) de la piel. Las uñas son láminas de queratina dura y fibrosa producidos por células activas en la base y los costados de cada uña. Estas áreas de crecimiento están protegidas por pliegues de piel llamados "cutículas". Algunos metales y otras toxinas se eliminan del cuerpo a través del pelo y las uñas. El análisis del pelo en verdad es una manera de evaluar las deficiencias minerales y la exposición a las toxinas.

## Ayuno

El ayuno se ha practicado desde la antigüedad y constituye un ritual importante en algunas religiones. A menudo se lo describe como una experiencia multidimensional que influye en los niveles físico, mental, emocional y espiritual del individuo. Muchos practicantes holísticos creen que la restricción alimenticia controlada es benéfica para la salud, pues ayuda a purificar el cuerpo de las toxinas que se liberan al quemarse las reservas de grasa corporal. Algunas personas creen que esta práctica ayuda a elevar la conciencia espiritual y que, incluso, retarda el proceso de envejecimiento al incrementar la producción de hormonas de crecimiento.

Algunos de los regímenes de ayuno más populares incluyen:

- El de pura agua (al menos dos litros de agua mineral, de manantial o destilada al día).
- La dieta a base de jugos (como los de manzana o zanahoria).
- La dieta a base de bioyogurt y jugos.
- La monodieta, un régimen en el que se come un

sólo alimento, como manzanas o uvas, normalmente acompañado con agua. Sin embargo, también pueden tomarse jugos según las preferencias personales.

No es recomendable seguir un ayuno estricto sin la orientación profesional de alguien como un naturista experto o un médico especializado en medicina ayurvédica. El programa de desintoxicación descrito en este libro recomienda que sigas una dieta simple y ligera que incluya jugos, frutas, verduras, bioyogurt y queso *cottage* en vez de un ayuno tradicional. Sin embargo, si deseas puedes consumir sólo jugo de fruta y bioyogurt por uno o dos días como máximo al inicio del programa. Esto se debe a que un ayuno demasiado estricto o prolongado resulta muy agotador para el cuerpo y podría desembocar en una "desintoxicación tóxica" en personas que llevan un modo de vida particularmente tóxico.

Se cree que la "desintoxicación tóxica" ocurre cuando las toxinas salen de las reservas de grasa y entran a la circulación en cantidades tan grandes que no pueden eliminarse de inmediato. El sistema enzimático del hígado se sobrecarga y, como resultado, circulan en el torrente sanguíneo niveles de toxinas más elevados de lo normal. La "desintoxicación tóxica" suele producir malestar general y es capaz de desencadenar inflamaciones, erupciones en la piel y dolores en los músculos o articulaciones. De hecho, puede llevarte al síndrome de sentirte aún peor antes de comenzar a mejorar que experimenta mucha gente cuando inicia una dieta estricta "a pura agua". Si te sientes fatal, escucha a tu cuerpo y detén lo que estás haciendo. Te has sometido al desgaste de la "desintoxicación tóxica", por lo que debes olvidarte del ayuno y llevar una dieta simple y purificadora.

¡Alerta sanitaria! No ayunes si:

- Estás bajo de peso.
- Te encuentras embarazada o amamantando.
- Te hallas bajo estrés excesivo.
- Tienes anemia.
- Sufres de diabetes del tipo 1 (en etapa temprana).
- Te encuentras bajo medicación que no deba interrumpirse.
- Padeces problemas de riñón.
- Tienes una enfermedad grave del hígado.
- Sufres de gota (a menos que lo apruebe tu médico).

Algunos médicos también recomiendan evitar el ayuno durante la menstruación.

Si deseas ayunar por uno o dos días, lo mejor es optar por una dieta de jugo y yogurt en vez de una de pura agua, la cual resulta demasiado dura para la mayoría de la gente.

Cuando se ayuna, se pierde inevitablemente un poco de tejido muscular. Este efecto disminuye si se recobra un poco de energía al beber jugos que contengan glucosa. Incluso una pequeña ingestión de glucosa protege el tejido muscular, efecto conocido como reposición proteínica.

En un principio, el ayuno estimula el hígado para que convierta el glucógeno –su compuesto de reserva similar al almidón– en glucosa y energía. También promueve que las reservas de grasa comiencen a liberar ácidos grasos que sirvan de combustible a ciertas células del cuerpo. Alrededor de 90 por ciento de la energía que requieren las células cerebrales y nerviosas suele provenir de la glucosa, aunque en épocas de privación alimenticia prolongada pueden utilizarse otras fuentes de energía. Durante los ayunos de corta duración, el hígado produce nueva glucosa a partir de ciertos aminoácidos para dar una provisión constante de energía al sistema nervioso central.

Los ácidos grasos que se liberan de las reservas de grasa corporal también sirven como fuentes energéticas durante los ayunos, pues se convierten en unas sustancias conocidas como quetoácidos. Algunos de estos quetoácidos también pueden convertirse en unas sustancias potencialmente dañinas llamadas *quetones* que dan al hígado grandes dificultades para procesarlas. Como resultado, tales sustancias se infiltran en la circulación. Cuando se ayuna durante más de dos días, comienza una sobreproducción de quetones y la persona desarrolla un estado conocido como quetosis. Durante la quetosis, el cuerpo elimina la acetona por medio de la orina y de los pulmones, y puede detectarse un olor distintivo (como a caramelos de pera) en el aliento.

Aunque los quetones son una importante fuente de energía, la quetosis puede ser peligrosa. Cuando el consumo de glucosa (derivada de los carbohidratos alimenticios) es bajo, la capacidad de los tejidos para eliminar los quetones pronto se vuelve insuficiente, de manera que estos siguen acumulándose en la circulación. Esto produce una acidez excesiva (acidosis metabólica) que puede ser muy grave, e incluso, fatal. Durante un ayuno prolongado a pura agua o cuando se sigue una dieta muy baja en calorías por varios días, debe revisarse el nivel de quetones para evitar los peligros de la quetoacidosis. Las pequeñas dosis de carbohidratos, como los azúcares contenidos en los jugos de frutas, ayudan a poner a los quetones en contacto con las enzimas que los procesan, previniendo así la quetosis. Por ello se dice que los carbohidratos son antiquetógenos.

Con las dietas a base de jugo se produce menos quetosis y uno se siente más vigoroso que con un ayuno a pura agua debido a que los carbohidratos simples contenidos en los jugos proveen de glucosa para las funciones celulares. Los jugos de frutas y verduras también son fuentes ricas en vitaminas, minerales, antioxidantes y sustancias desintoxicantes y protectoras como los fitoquímicos, los cuales ayudarán a darle un buen comienzo a tu programa de desintoxicación.

El consumo de bioyogurt, que contiene bacterias benéficas, también contribuye a mantener la salud intestinal mientras las toxinas se eliminan.

Durante una dieta a base de jugos:

- No consumas ninguna droga, incluyendo las legales.
- No fumes.
- No ingieras bebidas con cafeína.
- No bebas alcohol.
- No tomes ningún suplemento, excepto el *Lactobacillus acidophilus* (un probiótico para la salud intestinal).
- No hagas ejercicio, salvo estiramientos ligeros y caminatas suaves.
- No tomes baños o duchas calientes –sólo tibios.

## Duración del ayuno

Si decides seguir un ayuno sólo de líquidos, puedes hacerlo de manera segura por un día a la semana o durante dos o tres días de manera ocasional. No sigas un ayuno estricto por más de tres días a menos que estés bajo la supervisión de un terapeuta nutricional experto, como un naturista o un practicante de la medicina ayurvédica. Si padeces alguna enfermedad o te encuentras bajo medicación, primero busca orientación profesional. Si comienzas a sentirte muy mal, abandona el ayuno.

# Preparaciones desintoxicantes a base de jugos frescos

Cuando te desintoxiques, lo mejor es que prepares tus propios jugos y, de preferencia, con ingredientes orgánicos. Una vez que pruebas los jugos frescos caseros no querrás comprarlos preparados. Los jugos frescos tienen una textura cremosa y saben mil veces mejor. Su concentración te proporciona muchas más vitaminas y minerales que si comes las frutas y verduras enteras. Por ejemplo, un vaso de 100 ml de jugo de zanahoria proporciona tantos carotinoides antioxidantes como 450 g de zanahorias frescas. Los jugos frescos también presentan actividad enzimática, la cual se pierde en los jugos embotellados que se someten a la pasteurización. Puedes usar los jugos caseros para preparar sopa, pero también sirven como una magnífica base para bebidas no alcohólicas. Una de las mejores limonadas se hace con tan sólo mezclar jugo de limón (con un poco de cáscara) con agua mineral y miel orgánica.

Trata de no preparar más jugo del que necesitas beber en ese momento. Algunos jugos frescos comienzan a deteriorarse y decolorarse con rapidez, como los de manzana, kiwi, aguacate y zanahoria, y deben beberse casi de inmediato. Otros, como el de naranja o uva, pueden conservarse refrigerados hasta por un día. Si compras jugos, elige los etiquetados como *orgánicos*, los cuales sólo usan vitamina C (ácido ascórbico) como conservador y no contienen azúcar adicional. Si es necesario, puedes endulzar los jugos con miel orgánica.

Los jugos de limón, sandía y manzana son los más recomendados para desintoxicar.

Consejos para comprar

Cuando compres frutas y verduras para jugo:

- Elige sólo productos orgánicos y sin cera.
- Asegúrate de que las frutas y verduras estén lo más frescas posible.
- Selecciona piezas firmes, robustas y de buen color.
- Compra uvas sin semillas y quítales el tallo para que no amarguen.

## Jugos de frutas

Los jugos de manzana, limón y sandía tienen excelentes propiedades limpiadoras y por ello son particularmente útiles durante una desintoxicación. Aunque los jugos preparados con un solo tipo de fruta son muy aceptables, quizá desees probar algunas de las siguientes combinaciones para añadir sabor e interés a tu jugo (la manzana y la sandía pueden sustituirse por limón para tener más variedad).

- Durazno con chabacano.
- Kiwi con fresa.
- Mango con manzana.
- Mango con naranja.
- Manzana con capulín.
- Manzana con fresa.
- Manzana con grosella negra.
- Manzana con higo.
- Manzana con limón.
- Manzana con menta.
- Manzana con plátano.
- Manzana con zarzamora.
- Melón, durazno y kiwi.

- Melón con frambuesa.
- Melón con granadilla (maracuyá).
- Naranja, aguacate y fresa.
- Naranja con fresa.
- Naranja, uva y lima.
- Nectarina con papaya.
- Sandía con manzana.
- Sandía, manzana y limón.
- Tangerina con melón.
- Toronja rosada con jengibre.
- Toronja rosada con piña.
- Uva, chabacano(albaricoque), granadilla y mango.

## Jugos de verduras

Los jugos hechos a base de un solo tipo de verdura son excelentes, pero quizá desees probar alguna de las siguientes mezclas para añadir sabor e interés a tu jugo.

- Apio, zanahoria y betabel (remolacha).
- Espinaca, jitomate y apio.
- Jitomate, albahaca y ajo.
- Jitomate, apio y perejil.
- Jitomate, pepino y cebollín (cebolleta).
- Jitomate con pimienta negra.
- Pepino, betabel y jitomate (tomate).
- Pimiento verde, lechuga y zanahoria.
- Pimiento rojo, zanahoria y perejil.
- Pimiento rojo, jitomate y cilantro.
- Zanahoria con berro.

Nota: Los jitomates y pimientos en realidad son frutas, pero se los incluye en las verduras por su sabor.

## Jugos combinados de frutas con verduras

- Aguacate, zanahoria y naranja.
- Manzana, apio, berro y calabacita.

- Manzana, apio y jengibre.
- Manzana con hinojo.
- Manzana, lechuga y jitomate.
- Manzana, salvia y cebollín.
- Zanahoria, apio y manzana.
- Zanahoria con limón.
- Zanahoria, manzana y jengibre.
- Zanahoria con naranja.
- Zanahoria con pera.
- Zanahoria, pera, lechuga y perejil.

## Efectos secundarios del ayuno

En un ayuno de pura agua el hambre desaparece después del primer día. En una dieta a base de jugos o de ciertos alimentos el hambre tiende a continuar. Si prolongas un ayuno a pura agua por tres días (o más, bajo supervisión), podrías experimentar algunos de los siguientes efectos secundarios, los cuales pueden deberse a una reducción en los niveles de glucosa o a la movilización de toxinas. Estos síntomas son menos frecuentes cuando se sigue una dieta a base de jugos y yogurt por uno o dos días antes de comenzar el régimen alimenticio purificador.

### Aturdimiento y mareo

Si los presentas, siéntate o acuéstate. A los hombres puede resultarles útil sentarse al orinar para prevenir desmayos.

### Palpitaciones

Éstas son percepciones comunes del ritmo cardíaco que suelen causar preocupación, pues en ellas el corazón parece brincar, salirse de ritmo o ser demasiado fuerte o rápido. Las palpitaciones ocurren normalmente después de hacer ejercicio o cuando te encuentras bajo estrés. También se les relaciona con el consumo excesivo de cafeína, nicotina o alcohol.

Si presentas palpitaciones, debes descansar. Si éstas duran más de una hora, reaparecen por varios días o se acompañan de dolor en el pecho, dificultad para respirar, aturdimiento o debilidad, consulta de inmediato a tu médico. Si las palpitaciones están asociadas con sentimientos de pánico, prueba el Remedio de Salvación de Bach. Coloca unas cuantas gotas justo debajo de tu lengua o mézclalas con agua o jugo y sórbelas cuando lo necesites.

## Jaquecas

Éstas son uno de los síntomas más comunes vinculados con el ayuno y pueden desencadenarse por la liberación de toxinas y de hormonas del estrés que se producen en el cuerpo durante un ayuno prolongado. No emplees analgésicos como la aspirina, el paracetamol, la codeína o el ibuprofen. Es mejor que alivies las jaquecas por medio de la relajación, la acupresión (digitopuntura) y el masaje. Pide a tu pareja o a un amigo que manipule con suavidad los músculos de tu cuello, hombros y espalda alta, o aplica un frotamiento sobre el acupunto en la base del área carnosa hallada entre tus dedos pulgar e índice, justo arriba del punto en que se unen ambos dedos.

Los aceites esenciales que pueden ayudar a aliviar las jaquecas incluyen el de manzanilla, geranio, lavanda, hierbabuena y romero. Éstos pueden emplearse de todas las maneras comunes como diluidos y aplicados en un masaje sobre la piel, o inhalados de forma directa o mediante un difusor.

Nota: No hagas uso del aceite de romero si padeces hipertensión y abstente de usar cualquier aceite esencial si estás embarazada.

## Insomnio

El hambre produce una respuesta de alerta y es común tener problemas para dormir durante la desintoxicación. Para ayudarte a conciliar el sueño, utiliza ejercicios de relajación, visualización y, de contar con una persona disponible, masaje. No uses medicamentos para inducir el sueño. A menos que sigas un ayuno sólo de agua, puedes probar tés de hierbas que contengan manzanilla, valeriana, calvaria, flor de lima, lúpulo o melisa para que te relajen y ayuden a dormir.

## Náuseas

Las náuseas son otro síntoma común durante la desintoxicación pero pueden aliviarse por medio de la acupresión.

Presiona durante cinco minutos sobre el acupunto situado en la parte media frontal del antebrazo, alrededor de tres o cuatro dedos, a lo ancho, arriba del pliegue de la muñeca. Estimula este punto cada dos o tres horas para ayudar a mantener las náuseas bajo control o cada vez que te sientas indispuesto. Puedes obtener el mismo efecto al usar muñequeras especiales con botones que presionan los puntos importantes. Éstas pueden conseguirse en las farmacias.

## Mal sabor de boca

Durante la desintoxicación, a menudo aparecen síntomas como lengua con saburra o mal sabor de boca, sobre todo en los primeros días de ayuno. El mejor remedio es tallar la lengua con una cucharita o raspador especial de plástico –que puedes conseguir en las farmacias– y refrescar tu boca al enjuagarla con jugo de limón diluido.

## Olor corporal intenso

Algunas personas notan que su olor corporal se intensifica durante la desintoxicación. La solución obvia es tomar un baño o ducha tibios (no calientes) al día.

## Piel reseca

Durante la desintoxicación pueden aparecer manchas o resequedad en la piel, las cuales pueden ser señales de que quizá te estés desintoxicando demasiado rápido, es decir, que atravieses por la ya mencionada "desintoxicación tóxica". En vez de ayunar, sigue una dieta purificadora, simple y ligera. Humecta tu piel con una loción no perfumada para el cuerpo –que, de preferencia, contenga aceite de prímula– y emplea un estropajo para exfoliar tu piel con suavidad en una bañera caliente. Incluye aceite puro de prímula en tu dieta para ayudarte a mantener un buen consumo de aceites grasos esenciales y una piel sana. Prueba tomar cápsulas a base de gelatina o añadir gotas de aceite de prímula a tus bebidas o los aderezos de tus comidas.

## Estreñimiento

La falta de movimientos intestinales debidos a la disminución del volumen de comida es normal cuando no se ingieren alimentos sólidos y ocurrirá siempre que sigas un ayuno de pura agua y algunas veces cuando lleves una dieta ligera o a base de jugos. En la medida en que se absorbe más líquido de los intestinos y el tiempo de tránsito por los intestinos se hace más lento, se puede llegar a presentar el estreñimiento. La gente nota con frecuencia un cambio en el color de las evacuaciones, que pueden aparecer más largas y delgadas de lo normal. Los suplementos probióticos (véanse pp. 79, 80) ayudan a conservar la buena salud de la flora intestinal (bacterias benéficas como los lactobacilos). Los suplementos de fibra, como los de cáscara de zaragatona, ayudan a mantener el funcionamiento normal de los intestinos. Cuando evacues el vientre, evita hacer tensión al inclinarte hacia delante sobre las caderas.

Si sigues un ayuno sólo de agua o una dieta a base de jugos y has desarrollado efectos secundarios que te preocupan, consulta a tu médico. Durante la desintoxicación, es mejor y más seguro llevar una dieta limpiadora más suave pues ésta reduce de manera considerable el riesgo de los efectos secundarios.

## Dieta purificadora y ligera

Si has elegido seguir un ayuno estricto, tu estómago reducirá su volumen de manera temporal y la producción de jugos intestinales bajará de forma considerable. Por lo tanto, deberás abandonar la dieta poco a poco al consumir sólo jugos diluidos de frutas o verduras, sopas aguadas de verduras, sandía y bioyogurt.

Procura que todos los productos que consumas sean orgánicos pues de lo contrario introducirás más toxinas en tu organismo. Sigue esta dieta ligera y semilíquida por uno o dos días antes de comenzar la dieta limpiadora. Si no has estado siguiendo una dieta estricta, puedes comenzar la dieta purificadora de inmediato. Ésta consiste en consumir sólo agua filtrada o de manantial con jugos de frutas y/o verduras orgánicas, sopas aguadas de verduras, vegetales al vapor, legumbres cocidas, avena, arroz integral, queso *cottage*, bioyogurt, pescado y pollo.

Una dieta purificadora posee dos requerimientos importantes. Debe proporcionar:

1. Suficiente energía (al menos la mitad de las necesidades diarias estimadas) para reducir la movilización excesiva de las grasas corporales y aplazar el

reingreso de las toxinas solubles en agua dentro de la circulación.

2. Suficientes proteínas para prevenir la pérdida de masa muscular y para no sobrecargar la circulación con un exceso de desechos nitrogenados (como el amoniaco y la urea) que se forman durante el metabolismo de las proteínas.

En el capítulo 12 podrás encontrar sugerencias sobre qué comer durante la dieta purificadora.

## Productos que deberás evitar

En la dieta purificadora, lo que debes evitar es tan importante como lo que debes incluir. Emprender esta dieta puede significar que, quizá por primera vez en muchos años, no expondrás tu cuerpo a un exceso de cafeína, sal, aditivos, edulcorantes artificiales, agroquímicos (véase p. 60), alcohol o azúcar, los cuales pueden tener un efecto tóxico en el cuerpo.

### Cafeína

El estimulante conocido como cafeína simula el efecto del estrés en el cuerpo. Beber más de cinco o seis bebidas con cafeína al día puede desembocar en una intoxicación por cafeína, cuyos síntomas son inquietud, irritabilidad, jaqueca, insomnio, temblores y cansancio.

Durante la desintoxicación, es importante eliminar por completo el consumo de cafeína. Sin embargo, si ya has tenido un alto consumo, su retiro puede provocarte un síndrome de abstinencia con síntomas similares a los de la intoxicación como dolor de cabeza e irritabilidad. Si es necesario, prepárate para la desintoxicación al reducir de manera gradual tu ingestión de bebidas con cafeína por una o dos semanas antes de comenzar la dieta purificadora. De manera similar, sustituye tales bebidas con sus versiones descafeinadas, o con tés de hierbas o frutas.

Si te cuesta mucho trabajo reducir tu consumo de cafeína, prueba las bebidas a base de guaraná (paulinia) (véanse pp. 147-148).

## Sal

La sal de mesa se usa comúnmente para dar sabor a la comida. Aunque cierta cantidad de sal es necesaria para la buena salud, en exceso puede resultar tóxica y se le ha relacionado con la hipertensión. Esta sensibilidad depende de la herencia genética y se ha estimado que afecta a una de dos personas. Aun en aquellas que no son sensibles a este efecto, el exceso de sal puede provocar retención de líquidos e hinchazón y aumentar las probabilidades de deshidratación.

Durante una dieta de desintoxicación, es importante no añadir sal a ningún alimento ni al prepararlo ni al comerlo. Condiméntalo con especias, pimienta negra y yerbas. Toda la sal que necesites la obtendrás de manera natural de las frutas y verduras que comas, y el potasio que contienen ayudará a expulsar de tu cuerpo el exceso de sal.

Trata de conservar el hábito de no consumir sal cuando retomes tu régimen alimenticio integral y balanceado. De manera ideal, no debes ingerir más de seis gramos de sal al día. Al no salar la comida y evitar los alimentos procesados o precocidos, tu consumo será muy sano e inferior a esa cantidad. (Los alimentos procesados como las comidas semipreparadas, galletas, pasteles, embutidos, cereales comerciales, sopas instantáneas, salsas, cubitos de caldo y extractos de levadura, tienen ocultas en su composición tres cuartas partes de sal alimenticia.)

---

### ¡Alerta sanitaria! Sal

Aunque es quizá el condimento más común, la sal tiene poco que ofrecer para la nutrición. Si pretendes seguir una dieta balanceada, toma en cuenta lo siguiente:

- Evita los alimentos demasiado salados.
- No añadas sal a la comida al prepararla ni al ingerirla.
- Cuando la sal sea esencial, utiliza sal gema (de compás) rica en minerales en lugar de sal de cocina, o emplea con moderación alguna marca de sal baja en sodio.
- Añade jugo de lima a la comida para estimular las papilas gustativas y disminuir tu necesidad de sal.

Nota: Cuando las etiquetas de los productos dicen "sodio" en lugar de "sal", la cantidad indicada debe multiplicarse por 2.5 para obtener el verdadero contenido salino. Por ejemplo, un paquete de sopa que contenga 0.4 gramos de sodio contiene 1 gramo de sal.

---

### Alcohol

Aunque el alcohol es una poderosa toxina celular, su consumo moderado es benéfico para reducir el estrés y la posibilidad de sufrir enfermedades coronarias. El alcohol se procesa en el hígado y se convierte en acetaldehído, un veneno celular que puede dañar el hígado, el cerebro y las células de los músculos cardíacos. El consumo excesivo y prolongado del alcohol está vinculado con cuatro tipos de daño hepático: degeneración grasa, hepatitis alcohólica, fibrosis hepática y cirrosis.

## Degeneración grasa

Como el alcohol es una toxina muy poderosa, las célu-las del hígado reducen sus reacciones metabólicas nor-males y trabajan de más para eliminar el alcohol del organismo, al cual primero convierten en acetaldehído –aún más tóxico– y después en acetato. Como las enzi-mas del hígado se desvían de sus labores normales, dis-minuye la cantidad de ácidos grasos que se procesan y la de los que se convierten en el glucógeno de reserva. Como resultado, las células del hígado comienzan a acu-mular glóbulos de grasa sin procesar y se inflaman de forma considerable. Incluso una sola gran borrachera es capaz de cambiar el metabolismo de las células del hígado y desencadenar una degeneración grasa.

El entorpecimiento de las reacciones metabólicas en las células del hígado genera un gran número de los dañinos radicales libres. Estos agravan los efectos de la ingestión continua y abusiva de alcohol, y hacen que las células del hígado acumulen más y más glóbulos de grasa. El hígado se agranda y toma una apariencia ama-rillenta que recuerda a la de los hígados tan exagerada-mente grandes y grasosos de los gansos de engorda en Francia, los cuales se usan para hacer *pâté de foie gras*.

Para esta etapa, las enzimas del hígado ya presentan un serio desequilibrio. Las que procesan el alcohol apa-recen en cantidades anormalmente grandes. El hígado produce menos azúcares y proteínas, lo cual provoca cierto grado de desnutrición. Sin embargo, aun en esta etapa avanzada de degeneración grasa, los cambios pue-den revertirse. Las células del hígado poseen una tre-menda capacidad de regeneración, y un programa de desintoxicación acompañado por la abstinencia del al-cohol ayudará, en su momento, a que el hígado se re-cupere por completo.

## Hepatitis alcohólica

En algunos casos, una reacción de hipersensibilidad al alcohol puede causar que el hígado se inflame en la etapa más seria de la degeneración grasa, lo cual desemboca en una hepatitis alcohólica. Ésta es mas grave, pues las células del hígado comienzan a degenerar y mueren. Algunas células acumulan un material proteínico de apariencia vidriosa conocido como amiloide, mientras que otras se convierten en bolas de grasa. Se presentan síntomas como fiebre, náuseas y vómito, con dolor y molestias sobre el área del hígado en la zona superior derecha del abdomen. También se desarrolla ictericia conforme empeora la inflamación del hígado. La recuperación es seguida por la cicatrización del tejido hepático.

## Fibrosis alcohólica

Un hígado lleno de degeneración grasa acabará por presentar cicatrización (fibrosis) en sus tejidos aún cuando no haya ocurrido una hepatitis alcohólica. Si la fibrosis es muy extensa, interfiere con la provisión de sangre en el hígado y puede originar una contrapresión en los vasos que tratan de irrigar el hígado. La contrapresión es una fuerza que actúa en sentido contrario a la circulación, y conforme crece, el avance de la sangre se dificulta cada vez más. Los vasos se inflaman, y se desarrollan várices en el esófago que pueden sangrar a borbotones. A veces la fibrosis puede volverse progresiva y conducir a la cirrosis, sobre todo si han ocurrido ataques recurrentes de hepatitis alcohólica.

## Cirrosis

La cirrosis alcohólica es una enfermedad grave del hígado. Se desarrolla como resultado de la muerte de células hepáticas, la fibrosis, la provisión deficiente de sangre y el desesperado intento de algunas células hepáticas por regenerarse. Se rompe el equilibrio entre la provisión de sangre y los nódulos en regeneración del hígado mientras mueren más células por falta de sangre. Esto genera más fibrosis que obstruye aún más vasos sanguíneos, con lo cual se forma un círculo vicioso. Los grupos de células hepáticas en regeneración quedan separadas por bandas de tejido cicatrizado y el hígado adquiere una apariencia encogida y tumorosa.

Debido a la provisión inadecuada de sangre, los nódulos de tejido regenerado funcionan mal. Empeora la contrapresión en la provisión de sangre de los intestinos y crecen las várices en el esófago. Al final, la cirrosis conduce a la muerte por hemorragia, falla hepática o cáncer en el hígado. (El último se desarrolla en alrededor de diez por ciento de los casos como resultado de una regeneración anormal de las células.)

Durante un programa de desintoxicación, es importante que te abstengas por completo de beber alcohol. Después, limita tu consumo a no más de dos copas al día y proponte no beber alcohol por varios días a la semana.

La bebida alcohólica que, tomada con moderación, parece ser más benéfica para la salud es el vino tinto, debido principalmente al poder antioxidante de sus pigmentos. Lo ideal es que el vino se beba para acompañar la comida en lugar de solo, pues parece reducir los efectos dañinos de las grasas saturadas con una acción adelgazadora de la sangre.

## ¿Cómo controlar el deseo por el alcohol?

- La hierba *kudzu* (véase p. 73) ha ayudado a mucha gente pues puede disminuir en forma dramática el deseo por el alcohol.
- El té de yerba mate es un tónico vigorizante que también se bebe como sustituto del alcohol. Ayuda a la regeneración del hígado, sobre todo, cuando trata de reducirse el consumo de alcohol (véase p. 54).
- Se ha descubierto que los derivados de la vitamina B5 (como el pantotenato de calcio y la pantoteína) mejoran el funcionamiento del hígado y fortalecen la inmunidad al aumentar tanto los niveles de anticuerpos en la sangre como la actividad de los glóbulos blancos. La pantoteína produce el efecto terapéutico más notable.

## Agua cloratada

Cerca del 80 por ciento del agua potable en el mundo contiene clorina, un blanqueador que mantiene el agua libre de bacterias. En los grifos de agua se han encontrado impurezas como metales (plomo, aluminio y cadmio) y rastros de hormonas, a los cuales se les ha relacionado con padecimientos tales como testículos retenidos en bebés varones, baja cantidad de esperma y cánceres de origen hormonal. Un filtro de carbono puede extraer la clorina de los grifos de agua potable y un tratamiento por ósmosis inversa remueve los metales disueltos. Otra opción es conseguir agua embotellada en algún lugar que pueda proporcionar un análisis o certificado de pureza.

¡Alerta sanitaria! La eliminación de líquidos

Durante la desintoxicación, es vital beber bastante agua filtrada o de manantial para ayudar a eliminar las toxinas solubles en agua por medio de los riñones y las glándulas sudoríparas. Como regla general, proponte beber de dos a tres litros de líquido al día, o más si te encuentras en un clima cálido, haces ejercicio o sudas mucho.

## Azúcar

Debido a que los azúcares simples constituyen una importante fuente de energía, éstos se absorben muy rápido de los alimentos y pueden provocar variaciones potencialmente dañinas en los niveles de glucosa e insulina en la sangre. Lo mejor es evitar los azúcares alimenticios simples —como los del chocolate— y tratar de comer más carbohidratos almidonados. Durante la digestión, éstos se descomponen de manera estable en una variedad de azúcares simples que la circulación absorbe con mayor lentitud. Este cambio en la dieta reduce las variaciones grandes en el azúcar y es mejor para la salud. La velocidad con que los carbohidratos complejos se sintetizan en azúcares más simples recibe el nombre de índice glucémico (véase p. 100).

## Edulcorantes artificiales

Algunos edulcorantes artificiales son relacionados cada vez más con efectos tóxicos en el cuerpo. Aunque muchas personas aún insisten en la inocuidad de los edulcorantes, su consumo, al igual que el de otros aditivos artificiales, debe evitarse durante un programa de desintoxicación.

## Vuélvete orgánico

La gama de alimentos orgánicos que hoy están a nuestro alcance es muy amplia —casi cualquier alimento tiene una versión orgánica. El consumo de productos orgánicos es esencial para cualquiera que desee desintoxicarse. Estos alimentos se producen con métodos orgánicos de cultivo y reciben un procesamiento mínimo. No se les trata con pesticidas, antibióticos, hormonas o fertilizantes artificiales ni son el resultado de la manipulación genética o de la radiación. Los granjeros orgánicos utilizan métodos tradicionales de control de plagas y de rotación de cultivos, de los cuales resultan productos llenos de sabor, vitaminas y minerales, y que contienen el nivel más bajo posible de sustancias químicas artificiales y con potencial tóxico.

La finalidad de los cultivos no orgánicos es que sus productos tengan un color y tamaño uniformes, además de la capacidad de conservar una buena apariencia por más tiempo. A menudo, estas cualidades se logran en detrimento del sabor y de los nutrientes, y para conseguirlas se valen de productos agroquímicos como pesticidas, herbicidas, fungicidas, fumigantes, sustancias promotoras o retardadoras del crecimiento y fertilizantes. Estas sustancias se aplican con regularidad desde que el cultivo aún se encuentra en forma de semilla, durante la germinación y a través de todo su ciclo de crecimiento. Por ejemplo, cada manzana no orgánica recibe cerca de 40 dosis de hasta 100 aditivos antes de que la puedas comer. Dichas sustancias se alojan no sólo en la superficie del producto sino también debajo de la cáscara y, a veces, dentro de la pulpa misma. A una lechuga se le rocía un promedio de 11 veces durante las pocas semanas que dura su desarrollo. La totalidad de los efectos a largo plazo que muchas de estas sustancias tienen en nuestra salud aún no se comprenden del todo, de manera que es común escuchar que las sustancias que un día son de uso común, al siguiente las prohíben. Por ejemplo, la Agencia para la Protección del Ambiente en Estados Unidos estima que el 60 por ciento de los herbicidas, el 90 por ciento de los fungicidas y el 30 por ciento de los insecticidas son en potencia cancerígenos. Consumir más de una toxina a la vez puede intensificar de manera considerable sus efectos tóxicos. En el curso de un año, una persona que sigue una dieta no orgánica consume un estimado de seis kg de sustancias químicas que incluyen aditivos, colorantes, sabores, conservadores, ceras, fertilizantes, pesticidas y residuos de herbicidas.

---

### ¡Alerta sanitaria! Alimentos no orgánicos

Las sustancias químicas empleadas en la producción o el cultivo de alimentos no orgánicos:

- Se concentran en el hígado y pueden originar problemas hepáticos.
- Se relacionan con baja fertilidad.
- Se asocian a problemas intestinales como el síndrome del intestino irritable, crecimiento excesivo de la cándida y enfermedades inflamatorias del intestino.
- Debilitan la inmunidad y pueden aumentar el riesgo de contraer alergias y ciertos cánceres.
- Se vinculan con el surgimiento de bacterias resistentes de difícil tratamiento –se estima que el 50 por ciento de los antibióticos que consumimos provienen de la carne y de los productos lácteos, pues se los usa comúnmente como sustancias promotoras del crecimiento.

---

## Beneficios para la nutrición

Los alimentos orgánicos contienen, en promedio, el doble de vitaminas, minerales, micronutrientes, ácidos grasos esenciales, fibra y fitoquímicos en la producción destinada al comercio. Esto se debe, en parte, a que contienen menos agua y más materia sólida, pero también a que las tierras en que se cultivan son muy ricas. Los cultivos no orgánicos se producen en tierras tratadas con fertilizantes artificiales que proporcionan nitrógeno, fósforo y potasio, pero que no suelen reaprovisionarlas con otros minerales o micronutrientes. Además, los cultivos destinados a la exportación se cosechan antes de haber madurado, de manera que su contenido nutritivo es bajo por naturaleza. Los productos orgánicos frescos, recién cosechados y producidos de manera local contienen casi todos los nutrientes. En el Reino Unido, los criterios orgánicos los establece una autoridad de la Comunidad Europea y los alimentos orgánicos son inspeccionados y certificados por algún organismo independiente, como la Asociación de Tierras (Soil Association), de manera que puedes estar seguro de que los productores se apegan a un estricto código de trabajo.

Más de un 50 por ciento de los productos agroquímicos rociados a las frutas y verduras tienen como fin mantener su buena apariencia. Como la producción orgánica se preocupa, ante todo, por la calidad del sabor y de los nutrientes, el color y la forma suelen ser secundarios. A esto se debe que las frutas y verduras orgánicas puedan ser más pequeñas o verse menos atractivas que los productos no orgánicos, y que además contengan insectos como pulgones u orugas.

Los productos orgánicos resultan más atractivos y vitales en su interior y no han sido tratados con sustancias artificiales que prolonguen su vida. Busca productos frescos, firmes y con un color saludable. Rechaza los que se vean marchitos, parduscos, opacos o magullados.

Por desgracia, los alimentos orgánicos suelen ser más caros que los no orgánicos. Sin embargo, a la larga, los productos orgánicos resultan más baratos si consideras los beneficios que dan a tu salud. Por todos conceptos, resultan más valiosos en términos de su sabor y sus nutrientes. Los precios han tendido a bajar en forma gradual debido al crecimiento de la producción para satisfacer la demanda de los consumidores. Para ahorrar:

- Compra frutas y verduras de temporada en vez de aquella que se ha importado con un costo adicional.
- Compra en establecimientos locales.
- Compra a granel.
- Elige productos integrales en vez de alimentos procesados.
- Consume más productos vegetales y menos carne.
- Busca ofertas especiales.
- Contrata un servicio de los que envían frutas y verduras a domicilio directo de los productores locales sin obtener ganancias como intermediarios.

El sector alimentario orgánico está creciendo a una velocidad fenomenal. Por ejemplo, en el Reino Unido, la producción orgánica se expande en 50 por ciento cada año, y se espera que para el año 2007 ocupe 10 por ciento de las tierras agrícolas.

## Suplementos purificadores

Durante la fase purificadora del plan de desintoxicación pueden tomarse diversos suplementos. Éstos incluyen antioxidantes y varios productos para reforzar el funcionamiento del hígado, riñones o intestinos.

---

### ¡Alerta sanitaria! Suplementos

No tomes ningún suplemento durante un ayuno a pura agua. Sólo utiliza suplementos desintoxicantes cuando sigas una dieta ligera, purificadora y equilibrante, como la descrita en el capítulo 12. No uses ningún suplemento durante el embarazo o el amamantamiento, a menos que estés bajo supervisión de un practicante calificado.

---

## Antioxidantes

Los antioxidantes son sustancias protectoras que recorren el cuerpo y eliminan los productos tóxicos derivados del metabolismo. Los antioxidantes alimentarios más importantes son la vitamina A y sus carotinoides relacionados, la vitamina C, la vitamina E y el selenio.

Los antioxidantes aminoran las reacciones dañinas de oxidación en el cuerpo. Casi todas las reacciones de oxidación son desencadenadas por los radicales libres: fragmentos moleculares inestables con una carga eléctrica negativa. Los radicales libres transmiten esta carga negativa cuando chocan con otras moléculas y estructuras celulares, lo cual inicia reacciones en cadena que dañan las proteínas, grasas, membranas celulares y material genético. Cada célula del cuerpo sufre unas diez mil oxidaciones de radicales libres al día. Estas oxidaciones han sido ligadas a la arteriosclerosis, enfermedades coronarias, cataratas, degeneración macular del ojo, envejecimiento prematuro de la piel y cáncer. Los radicales libres son toxinas generadas por reacciones metabólicas normales así como por la exposición a contaminantes ambientales, rayos x, luz ultravioleta y algunas drogas. Los fumadores y diabéticos los generan más de lo normal.

## Vitamina A

La vitamina A es una sustancia soluble en agua que puede almacenarse en el hígado. Esto ocurre de dos maneras principales, como vitamina A preformada (hallada en alimentos de origen animal) y como carotinoides –pigmentos vegetales, algunos de los cuales (como el caroteno beta) pueden convertirse en vitamina A dentro del cuerpo. Las cantidades excesivas de vitamina A pueden ser tóxicas y, por lo tanto, muchos suplementos contienen carotenos en vez de la vitamina A en sí. Un exceso de caroteno beta (que puede ocurrir, por ejemplo, al beber grandes cantidades de jugo de zanahoria) produce en la piel una pigmentación de color naranja amarillento, similar a la de los bronceados artificiales de ínfima calidad. Esto no parece causar mayor daño y desaparece una vez que se reduce el consumo. El caroteno beta es un poderoso antioxidante, esencial para tener un crecimiento, desarrollo, salud sexual y fertilidad normales. Mantiene sanos la piel, dientes, huesos y membranas mucosas –como aquellas que cubren la nariz, la garganta y los ojos–, y también es importante para la vista y la inmunidad.

*Fuentes:* Vitamina A (retinol): hígado y riñones de animales, huevos, leche, queso, yogurt, mantequilla, pescados ricos en aceite, carne y margarina. Alimentos que contienen carotenos: elote (maíz dulce), zanahoria, batata (camote), espinaca, brócoli, berro, verduras tiernas, mango, pimiento rojo y amarillo, y jitomate.

*Dosis:* Pueden adquirirse suplementos que contienen caroteno beta natural (por ejemplo de seis a quince mg diarios) junto con extractos de otras frutas y verduras. Si se utilizan suplementos de pura vitamina A, lo ideal es limitarlos a menos de cinco mil microgramos (1500 Unidades Internacionales) al día.

Nota: No los consumas durante el embarazo.

## Vitamina C

La importantísima vitamina C es un antioxidante soluble en agua que protege las partes acuosas del cuerpo. De hecho, es tan importante que varios animales la producen por sí mismos. El hecho de que el hombre sea uno de los pocos mamíferos que ha perdido o nunca ha adquirido la capacidad de sintetizar la vitamina C, sigue siendo uno de los mayores misterios de la bioquímica humana. Sin embargo, resulta claro que las personas que tienen el consumo más alto de vitamina C tienen el riesgo más bajo de desarrollar enfermedades coronarias y ciertos tipos de cáncer.

*Fuentes:* Grosella negra, guayaba, kiwi, frutas cítricas, mango, pimiento verde, verduras en retoño como brócoli, col de Bruselas, berro y perejil.

*Dosis:* Un gramo tres veces al día (o tres gramos una vez al día en las fórmulas de liberación lenta) durante la desintoxicación y, de preferencia, en la fórmula conocida como Éster-C. Ésta contiene vitamina C predigerida —con sus productos ya sintetizados y listos para asimilarse—, la cual tiene toda la actividad de la sustancia principal pero sin su acidez, pues tiene un pH neutro. Además, el Éster-C es absorbido por las células con mayor rapidez y permanece en el cuerpo por más tiempo que la vitamina C común.

## Vitamina E

La vitamina E es un poderoso antioxidante que protege las grasas corporales contra los efectos tóxicos de los radicales libres. También protege las membranas celulares, cubiertas nerviosas, moléculas de colesterol en circulación, grasas alimenticias y reservas de grasa corporal del ataque químico de dichos radicales. También es un magnífico agente desintoxicante. Las personas con el consumo más elevado de vitamina E, tienen el riesgo más bajo de padecer enfermedades coronarias y ciertos tipos de cáncer.

Fuentes: Aceite de germen de trigo, aguacate, huevo, mantequilla, cereales integrales, semillas, nueces, pescado rico en grasa y brócoli.

Dosis: 268 mg al día durante la desintoxicación.

## Selenio

El selenio es un mineral que se requiere para la acción de muchas enzimas antioxidantes, incluida una (la glutación peroxidasa) que remueve sustancias tóxicas como el peróxido de hidrógeno, generado en el cuerpo por los radicales libres. Como antioxidante, el selenio nos protege contra una amplia variedad de enfermedades degenerativas, como la arteriosclerosis, enfisema, problemas hepáticos, cataratas, artritis, apoplejía y ataques cardiacos.

Existen pruebas de que la ingestión diaria de selenio reduce a la mitad el riesgo de morir por cáncer. Se han administrado suplementos de selenio a animales, y esto ha mejorado su salud y prolongado su vida de manera significativa; los resultados en humanos aún están por verse. En este momento se lleva a cabo un estudio sobre el efecto anticancerígeno de los suplementos de selenio en alrededor de 40 mil participantes de cinco países (Dinamarca, Finlandia, Suecia, Reino Unido y Estados Unidos). En él, voluntarios al azar reciben una dosis diaria de 100, 200 o 300 microgramos de selenio o de un placebo inactivo. Se espera que los resultados influyan en los planes de salud pública sobre el consumo óptimo de selenio para la prevención del cáncer en el nivel mundial.

Fuentes: Castaña de Pará, brócoli, hongos, col, rábano, cebolla, ajo, apio, cereales integrales y mariscos.

Dosis: 200 microgramos diarios durante la desintoxicación.

Hoy es posible adquirir toda una variedad de suplementos antioxidantes de origen natural como los extractos de semilla de uva, orégano y corteza de pino. Éstos pueden recomendarse de manera individual durante la desintoxicación si sigues un programa supervisado por un naturópata.

## Suplementos para reforzar el funcionamiento del hígado

Existen diversos remedios herbarios tradicionales que son capaces de limpiar el hígado y reforzar su funcionamiento. Éstos incluyen los de diente de león, alcachofa, *gotu kola* (centella asiática), cardo lechar (o lechero), zarzaparrilla, cúrcuma y *kudzu*.

### Extractos de alcachofa (*Cynara scolymus*)

La alcachofa es una planta culinaria perenne que se cultiva por sus grandes cabezas que contienen escamas carnosas con una base comestible. Los extractos de las hojas de alcachofa contienen compuestos únicos, como la cinarina, cuyos efectos regeneradores del hígado son similares a los del cardo lechar. La *Cynara* también estimula la producción de bilis y puede aliviar los síntomas de náuseas, hinchazón e indigestión causados por la producción insuficiente de bilis. Una prueba hecha al azar, doblemente a ciegas –tanto para los investigadores como para los participantes– y controlada con placebos, mostró que los extractos de alcachofa aumentaban la producción de bilis en más de un 127 por ciento en 30 minutos y en más de 150 por ciento después de una hora. No se reportaron efectos secundarios.

Dosis: De 300 a 600 mg de extractos estandarizados al día (el equivalente a dieciséis gramos de hojas frescas) durante la desintoxicación.

## Diente de león (*Taraxacum officinalis*)

El diente de león es una maleza perenne bien conocida que se encuentra en casi todo el mundo. Por tradición, sus hojas se comen en primavera como tónico limpiador. Su raíz (que suele obtenerse de plantas de dos años) también tiene una acción limpiadora importante y se utiliza de manera muy común en los programas de desintoxicación. Promueve la eliminación continua de toxinas por diversas rutas. En el hígado, aumenta las funciones de desintoxicación y estimula el flujo de bilis de manera que se eliminen más toxinas por medio de los intestinos. En los riñones, realiza una acción diurética que incrementa el desalojo de las toxinas solubles en agua. Funciona también como un laxante suave que promueve la expulsión de toxinas a través de los intestinos. Además, el diente de león contiene minerales benéficos como el potasio que ayudan a drenar el exceso de sodio.

Dosis: De cinco a diez gramos al día repartidos en tres dosis.

Nota: No lo uses si sufres de cálculos biliares.

## Ajo (*Allium sativum*)

Gracias a su popularidad en la cocina, el ajo goza en todo el mundo un consumo equivalente a un diente al día por persona. Son bien conocidas sus propiedades antisépticas, antivirales y antibacterianas, y se emplea para tratar infecciones estomacales y respiratorias. También contiene una serie de sustancias que promueven la acción clave de las enzimas desintoxicantes del hígado y tiene un efecto benéfico sobre los niveles de grasa que circulan en la sangre. Pruebas clínicas realizadas con tabletas estandarizadas de polvo de ajo han mostrado que el consumo de este vegetal puede reducir la hipertensión, los niveles de grasas dañinas en la sangre (colesterol LDL y triglicéridos) y la viscosidad de la sangre, además de mejorar la circulación en todo el cuerpo. Su uso regular reduce el riesgo de arteriosclerosis hasta en 25 por ciento y el de ataque cardiaco hasta en 50 por ciento. También se ha observado que el ajo apoya la acción de las bacterias benéficas del intestino, como los lactobacilos, e inhibe la de la dañina flora microbiana.

Dosis: De 600 a 900 mg diarios de tabletas estandarizadas de polvo de ajo.

Debe advertirse que los productos de ajo obtenidos mediante extracción solvente o al hervirlo en aceite parecen ser menos efectivos que las tabletas hechas con polvo de ajo deshidratado por congelación.

## *Gotu kola*/centella asiática (*Centella asiatica*)

Es una trepadora perenne originaria de India, China, Indonesia, Australia, el Pacífico Sur, Madagascar y partes de África, conocida por fomentar la longevidad, razón por la cual también se le llama "fuente de la juventud". Dice la leyenda que esta planta fue usada por un herbolario chino de nombre Li Ching Yun, quien vivió 256 años. La *gotu kola* no tiene ninguna relación con la semilla de cola y no contiene cafeína.

Considerada como una de las hierbas más importantes en la medicina ayurvédica, se utiliza para aliviar la ansiedad y la depresión, mejorar la memoria, promover la tranquilidad, relajar la tensión muscular, impulsar el funcionamiento de las glándulas suprarrenales en periodos de estrés, y calmar el dolor. También se dice que tiene propiedades limpiadoras de la sangre y que incrementa los niveles de energía física y mental. La *Centella* ha mostrado que mejora la apariencia microscópica del tejido hepático y que reduce la inflamación en los pacientes con cirrosis. Sus ingredientes activos reciben el nombre de triterpenos.

Dosis: De dos a cuatro cápsulas diarias de extractos uni-
ficados que contengan 25 mg de triterpenos. Las dosis
elevadas –que pueden producir jaqueca– resultan más
calmantes que vigorizantes.

### Cardo lechar (*Silybum marianum* o *Carduus marianus*)

El cardo lechar es una planta con apariencia de maleza
y flores moradas originaria de la Europa mediterránea.
Sus semillas contienen una poderosa mezcla de antioxidantes conocidos como silimarina, cuyo ingrediente más
activo es la silibinina. Desde épocas remotas, el cardo
lechar se ha consumido hervido, al igual que la alcachofa, como un tónico primaveral para proteger el hígado. Más de 300 estudios han mostrado que la
silimarina puede proteger las células del hígado contra
los efectos nocivos del alcohol excesivo y otras toxinas
como las producidas por el hongo oronja verde y la
quimioterapia. Su acción inhibe los factores responsa-
bles del daño a las células hepáticas –como los radicales
libres– y mantiene estables los niveles de glutatión –la
importante enzima antioxidante del hígado. La silimarina también parece alterar la estructura exterior de las
paredes de las células hepáticas, de manera que las toxinas no penetren con facilidad. Además, la silimarina
estimula la síntesis proteínica de las células del hígado,
la cual lo ayuda a regenerarse por sí mismo después de
sufrir un daño, como el provocado por la fibrosis. Re-
cientemente, también ha mostrado tener un efecto protector en las células del riñón. La silimarina también
previene el agotamiento del glutatión, necesario para
sintetizar el alcohol y otras sustancias dañinas para el
hígado. Como antioxidante, el silimarina es al menos
200 veces más potente que las vitaminas C o E, y en la
actualidad, se le investiga como posible agente protector contra el cáncer de piel producido por los rayos
ultravioleta.

Dosis: Tres dosis diarias de suplementos estandarizados de 70 a 200 mg.

Lo mejor es comenzar con una dosis baja e incrementarla poco a poco. Las funciones del hígado comenzarán a mejorar dentro de los primeros cinco días y su progreso continuará durante, al menos, las siguientes tres semanas. El único efecto secundario que se ha reportado es una estimulación ligera del intestino en algunas personas debido a un aumento en la producción de bilis.

## Zarzaparrilla (*Smilax officinalis*)

Ésta enredadera perenne contiene una amplia gama de sustancias muy similares a las hormonas. Se la emplea principalmente como purificador sanguíneo. Se cree que agrupa las toxinas bacteriales y el colesterol en los intestinos de manera que la circulación absorba cantidades menores, y así, se reduzca la carga de trabajo del hígado y otros órganos. También actúa como diurético y promueve la sudoración y la expectoración del moco. Se dice que la mejor zarzaparrilla produce un ligero sabor nauseabundo y acre, y que incluso, causa una sensación de ardor en la boca. En algunas personas puede provocar indigestión, y si se consume en exceso, puede entorpecer de manera temporal el funcionamiento de los riñones. Algunos médicos desaconsejan su uso en mujeres que tiendan a ser demasiado velludas.

Dosis: Una cápsula de 250 mg tres veces al día.

## Cúrcuma (*Curcuma longa*)

La cúrcuma es una raíz picante de color amarillo anaranjado usada de manera muy común en Asia para cocinar. También es una medicina herbaria tradicional en los sistemas médicos ayurvédico y chino, y se emplea para tratar problemas del hígado como la ictericia y la hinchazón. La cúrcuma contiene curcumina, un antioxidante desinflamatorio que estimula la secreción de bilis y refuerza el funcionamiento hepático al incrementar los niveles de enzimas antioxidantes en el hígado. También promueve la regeneración del hígado, reduce la coagulación de la sangre y ayuda a reducir los niveles elevados de colesterol. La acción desinflamatoria de la cúrcuma es más poderosa que la de la hidrocortisona, y su acción antioxidante, más poderosa que la de la vitamina E.

*Dosis:* Dos cucharaditas rasas de polvo dos veces al día durante la desintoxicación (mézclalo en jugos y sopas).

## Kudzu (*Pueraria lobata*)

Los extractos de las raíces y flores de esta enredadera hindú pueden apoyar el funcionamiento del hígado pues disminuyen el deseo de beber alcohol. También se utiliza para aliviar las resacas.

*Dosis:* 30 mg de raíz estandarizada tres veces al día.

## Otros suplementos empleados para reforzar la desintoxicación del hígado

Ciertas sustancias ofrecen protección al ayudar a reducir los efectos nocivos de las supertoxinas intermediarias –sustancias químicas producidas durante el proceso de desintoxicación que resultan aún más venenosas que las toxinas originales. Otros suplementos empleados por algunos médicos durante la desintoxicación incluyen:

La coenzima Q10. Disponible en tabletas, protege contra las toxinas, tal como lo hacen las sustancias sulfurosas contenidas en el ajo, la cebolla y los vegetales crucíferos. *Dosis:* La dosis usual es de 30 a 90 mg diarios.

El N-acetilcisteína (NAC). Es un aminoácido que eleva los niveles de glutatión en el hígado y el tracto respiratorio. Es interesante saber que en la actualidad se llevan a cabo estudios que sugieren que el NAC puede prevenir parte del daño pulmonar relacionado con el cáncer de pulmón en los fumadores. No lo tomes si sufres de úlcera péptica.

Dosis: De 400 mg a un gramo al día.

Es posible que a algunas personas les convenga también suplementarse con 250 mg de glutatión dos veces al día, o sustituirlo con metionina.

La metionina. Es un aminoácido esencial que mejora el flujo de bilis desde el hígado y ayuda a la eliminación de las toxinas solubles en grasa. La metionina también previene el agotamiento de glutatión.

Dosis: Un gramo al día.

## Suplementos para reforzar el funcionamiento de los riñones

Los suplementos más usados para reforzar el funcionamiento del riñón son el diente de león y la cola de caballo, los cuales tienen una acción diurética.

### Diente de león (*Taraxacum officinalis*)

A esta planta se le ha conocido desde hace mucho tiempo por sus propiedades diuréticas (véase p. 69).

### Cola de caballo (*Equisetum arvense*)

La cola de caballo es una antigua planta que está relacionada con los árboles que crecieron en la tierra hace 270 millones de años. Posee tallos frágiles y nudosos a los que se ha usado durante siglos para reforzar el funcionamiento de los riñones, fortalecer el tracto urinario y reducir la retención de agua. Sin embargo, también disminuye la sudoración, algo que no siempre es deseable durante la desintoxicación.

*Dosis:* Un gramo dos o tres veces al día.

## Suplementos para reforzar el funcionamiento intestinal

Algunos terapeutas recomiendan la hidroterapia de colon durante un programa de desintoxicación para ayudar a remover del intestino los desechos tóxicos. A diferencia de los enemas, que sólo limpian el colon sigmoideo (la parte más distante del intestino grueso), la hidroterapia del colon asea la totalidad del intestino grueso desde abajo. Si lo prefieres, puedes limpiar tus intestinos al comer fibra adicional, enjuagarlos con suplementos herbarios purificadores, drenarlos al beber bastante agua de manantial y equilibrarlos tomando suplementos probióticos.

Existe una serie de suplementos que pueden reforzar el funcionamiento intestinal, e incluyen la glutamina, suplementos de fibra, aloe vera, suplementos probióticos, agentes queladores, ajo, pimentón y jengibre.

### Aloe vera (*Aloe barbadensis*)

Esta jugosa planta, nativa de África, produce un gel en sus hojas carnosas que contiene una mezcla única de vitaminas, aminoácidos, enzimas y minerales. Estos componentes han sido muy valorados por sus propiedades curativas por más de seis mil años. El gel contiene sustancias jabonosas (saponinas) que ayudan a limpiar los intestinos, y microfibras pulposas (ligninas) que ayudan a absorber fluidos y toxinas de los intestinos y a expandir sus movimientos. También incluye sustancias desinflamatorias, antioxidantes y antisépticas que aceleran la curación de las heridas.

Puede prepararse jugo de aloe vera con el gel recién extraído o con polvo de aloe (la primera forma es mejor). El gel fresco tiene que estabilizarse a las pocas horas de extraído para prevenir su oxidación y desactivación. Cuando selecciones un producto, busca uno que esté hecho con aloe vera cien por ciento puro. Para que sea efectivo, el volumen de la sustancia pura deberá de ser de al menos 40 por ciento, aunque lo ideal es que se acerque al 95. Quizá encuentres más apetecible algún producto que contenga un poco de jugo de fruta natural, pero algunas personas encuentran que el jugo de fruta hace empeorar sus síntomas.

El aloe vera es un excelente remedio contra el estreñimiento durante la desintoxicación. Algunas mujeres notan que éste hace aumentar su flujo menstrual. Como también estimula las contracciones uterinas, no debe consumirse durante el embarazo o el amamantamiento.

Dosis: Comienza con una pequeña dosis (por ejemplo, una cucharadita al día) e increméntala en forma gradual de una a dos cucharadas soperas diarias para encontrar la dosis que más te convenga. El aloe tiene un poderoso efecto catártico y en demasía producirá una respuesta laxante vigorosa.

## Suplementos de fibra

La fibra ayuda a la digestión al absorber el agua de los intestinos y aumentar el volumen de las evacuaciones. Por lo tanto, proporciona lubricación y una masa pesada que el intestino puede asir y empujar hacia abajo mediante contracciones musculares hasta expelerlas del cuerpo. De este modo, la fibra alimenticia ayuda a acortar el tiempo en que la comida permanece en los intestinos y acelera la eliminación de las toxinas. Algunos experimentos muestran que por cada gramo de fibra que consumes, aumenta el peso de tus evacuaciones por alrededor de cinco gramos. Esto se debe a que la fibra alimenticia proporciona nutrientes para el crecimiento bacteriano, y buena parte del aumento de peso en las evacuaciones se origina por la elevada multiplicación de las bacterias en el intestino. Otro beneficio de la fibra es su capacidad para absorber las toxinas de los intestinos —como una especie de esponja— por lo que disminuye la posibilidad de que sean absorbidas por el cuerpo y aumenta la de que sean excretadas.

Los agentes amasadores a base de fibra pueden conseguirse en diversas presentaciones que incluyen gránulos, polvo, hojuelas, cáscara y semillas naturales. Éstos suelen tomarse una o dos veces al día con bastante agua. Es esencial tener una buena ingestión de líquidos durante la desintoxicación y el consumo de suplementos de fibra, pues ésta absorbe grandes cantidades de agua y es capaz de secar los intestinos si no se eleva la ingestión de líquidos. Esto puede producir incomodidad, hinchazón, e incluso, estreñimiento. Nunca olvides seguir con mucho cuidado las instrucciones del paquete.

Las nuevas investigaciones sugieren que las bacterias intestinales se adaptan a los tipos de fibra que comes. Después de unas pocas semanas de llevar una dieta rica en salvado —por ejemplo—, las bacterias liberan más enzimas de las necesarias para sintetizarlo, lo que significa que pueden perderse algunos de los beneficios de la fibra. Por ende, conviene que diversifiques los tipos de fibra en tu dieta al comer una gran variedad alimentos ricos en fibra de distintas fuentes.

A las semillas y a la cáscara del *Plantago psyllium* (zaragatona) se les considera particularmente efectivas en regímenes desintoxicantes para absorber las toxinas del intestino. La presencia de un mucílago en la cáscara de las semillas les permite que, al mezclarse con agua, aumenten hasta en 14 veces su tamaño original. En los intestinos, el *psyllum* forma una masa laxante que los limpia suavemente a la vez que absorbe las toxinas y el exceso de grasas.

El sen es un laxante herbario fuerte que a veces se emplea para remover las toxinas de los intestinos con rapidez. Sin embargo, a menos que sufras de estreñimiento es mejor no usarlo. Los laxantes fuertes pueden provocar espasmos intestinales. Para casi todas las personas que siguen un programa de desintoxicación, el *psyllum* es más que suficiente.

*Dosis:* Cualquiera que sea el suplemento que elijas, sigue las recomendaciones del paquete.

## Fructuoligosacáridos (FOs)

A estos carbohidratos naturales, que el intestino humano no puede digerir ni absorber, se les clasifica como probióticos. Actúan como una fuente alimenticia fermentable para las bacterias probióticas y fomentan su crecimiento en los intestinos. En contraste, bacterias dañinas como la E. *coli* y el *clostridium* no pueden usar el FOs como fuente energética. Como parte de tu programa de desintoxicación, sigue una dieta rica en FOs que incluya alimentos como ajo, cebolla, cebada, trigo, plátano (banana), miel, jitomate y algunos suplementos probióticos.

## Glutamina

Es un aminoácido producido por el cuerpo que nutre el revestimiento del tracto intestinal, el cual puede usarla como una fuente directa de energía. Puede reducir el daño al tracto intestinal provocado por toxinas alimenticias o ambientales además de promover la permeabilidad normal de los intestinos. No lo tomes de noche pues el cerebro también lo emplea como fuente energética, lo cual aumenta la vigilia y dificulta el sueño. La glutamina también ayuda a reducir el deseo de beber alcohol.

*Dosis:* Alrededor de un gramo al día como estimulante;

durante la desintoxicación pueden recomendarse dosis de cinco a diez gramos.

## Ácidos húmicos

Se le llama quelación al aislamiento y eliminación de
metales pesados y otros minerales tóxicos, como plomo y mercurio, del cuerpo. Algunos médicos especia-
listas en terapia de quelación intravenosa utilizan esta
técnica para introducir un aminoácido sintético (EDTA)
en el torrente sanguíneo. Éste se quiela (une) con los
metales pesados y otros minerales tóxicos en la circulación para aislarlos y desalojarlos por medio de los
riñones. Sin embargo, este sistema no es del todo recomendable pues también puede desechar nutrientes.
Existe una forma más suave de quelación que consiste
en tomar un suplemento coloidal que contiene ciertos
ácidos húmicos orgánicos derivados de la turba de los
pantanos. Los ácidos húmicos son una rica fuente de
aminoácidos y pueden quelar los metales pesados en
los intestinos a la vez que reintegran los niveles de hierro y de algunos micronutrientes como el selenio,
molibdeno y vanadio. Los ácidos húmicos son magníficos agentes desintoxicantes que han mostrado ser capaces de reducir los niveles de plomo, mercurio, cadmio
y cesio en el organismo.

Algunas sustancias que poseen un efecto quelador
natural incluyen los frijoles *aduki*, las lentejas y las algas
de color verde azulado como la *Chlorella*, la *Spirulina* y el
*Aphanizomenon flos-aquae* (véase p. 90).

## Suplementos probióticos

Los suplementos probióticos son muy usados para limpiar y revitalizar durante la desintoxicación, pero poca
gente se da cuenta de esto cuando disfruta del probiótico
más común: el bioyogurt.

La palabra probiótico se refiere al uso de las bacterias naturales y de las sustancias que promueven su crecimiento para formar colonias de organismos benéficos en los intestinos. Esto crea un medio intestinal saludable que ayuda a eliminar las toxinas, a promover la digestión sana y a mejorar la inmunidad local de manera que se reduzca el riesgo de contraer infecciones dañinas. En una persona con una intoxicación promedio, la proporción de lactobacilos benéficos en el intestino grueso suele ser de un quince por ciento, mientras que la de los dañinos E. Coli es del 85. El equilibrio ideal sería el inverso. Los suplementos alimenticios de *Lactobacillus acidophilus* y especies biológicas relacionadas que, según se sabe, colonizan los intestinos, son muy importantes durante y después de un programa de desintoxicación.

Si presentas alguno de los siguientes rasgos, es posible que tengas deficiencias de bacterias probióticas y te convenga tomar un suplemento:

- Una dieta pobre en nutrientes.
- Un tratamiento reciente con antibióticos.
- Problemas intestinales como el síndrome del intestino irritable, enfermedades inflamatorias de los intestinos, diarrea crónica o diverticulitis.
- Afta (candidiasis) intestinal recurrente u otras infecciones intestinales.
- Enfermedades graves.
- Inmunidad reducida.

El bioyogurt y los suplementos probióticos contienen cultivos vivos de bacterias benéficas que ayudan a la desintoxicación del intestino al:

- Producir ácidos naturales benéficos que disminuyen el pH intestinal y dificultan la reproducción de bacterias y levaduras dañinas con baja tolerancia al ácido.

- Segregar antibióticos naturales que compiten con las bacterias dañinas por los nutrientes disponibles.
- Competir con otras bacterias para adherirse a las paredes de las células intestinales. Literalmente, las desplazan para que bajen por los intestinos y sean expulsadas antes de que puedan ganar ventaja.
- Estimular la producción de interferón, un agente natural antiviral que ayuda a prevenir infecciones virales del intestino.
- Corregir el estreñimiento y mejorar la evacuación.
- Inhibir el crecimiento de la *Heliobacter pylori*, una bacteria relacionada con la gastritis, las úlceras gástricas y el cáncer estomacal.
- Reducir la formación de sustancias cancerígenas en el intestino al inhibir las enzimas que permiten su producción.
- Reforzar el funcionamiento de las células de inmunidad como los fagocitos, linfocitos y células asesinas naturales.
- Fomentar la producción de anticuerpos protectores actuando como un donador antígeno.
- Inhibir las enzimas bacterianas que suelen producir sustancias cancerígenas en el intestino grueso.
- Contrarrestar el desarrollo de alergias.
- Reducir los síntomas de la intolerancia a la lactosa en individuos sensibles.

Las bacterias probióticas también han mostrado que tienen un efecto protector contra toda una serie de bacterias tóxicas que incluyen la *Salmonella tiphy*, la *E. Coli* y la *Candida albicans*.

Por desgracia, las bacterias probióticas son frágiles, y el bioyogurt que se ha refrigerado —en el supermercado o en tu casa— por una semana o más contendrá menos bacterias vivas que los cultivos frescos. Debe haber cuando menos un millón de bifidobacterias vivas y/o un millón de bacterias *acidophilus* vivos por cada gramo de yogurt para que tenga el máximo potencial desintoxicante. Sin embargo, el nivel de las bacterias probióticas vivas en los yogures vivos varían mucho, y puede haber desde unos cuantos cientos de miles hasta más de 300 millones por gramo. Por esta razón, lo mejor es tomar además un suplemento probiótico como parte de tu programa de desintoxicación.

Cuando elijas un suplemento, selecciona uno que proporcione, al menos, entre 10 millones y 2 billones de unidades formadoras de colonias de *acidophillus* por dosis. Para mantener una población alta de bacterias probióticas en tus intestinos, lo ideal es que utilices el suplemento durante un mes como mínimo y que repitas esto de manera regular durante el año cada vez que sientas que el funcionamiento de tus intestinos comienza a deteriorarse.

Entre las fuentes de las bacterias probióticas se encuentran:

- Bioyogurt: los yogures cuyas etiquetas digan únicamente *vivo* podrían sólo contener bacterias como el *streptococcus thermophilus*, que no se encuentran de manera natural en el cuerpo humano y suelen morir durante la digestión.
- Bebidas fermentadas que contengan lactobacilos.
- Suplementos que garanticen una potencia específica de las bacterias. Pueden conseguirse en forma de cápsulas, polvo, líquido o tabletas; lo más recomendable es mantenerlos en refrigeración.
- Yogurt casero producido con *acidophilus* deshidratados por congelación.

### Ajo (*Allium sativum*)

Véase página 69.

## Cayena (*Capsicum frutescens*)

La cayena o pimentón es un arbusto perenne originario de México, pero hoy se le encuentra por todas las
zonas tropicales, sobre todo en África e India. Sus frutas color escarlata con semillas blancas son bien conocidas en las cocinas de todo el mundo. El ingrediente
que imprime el picor a las vainas es la capsaicina. Las
semillas también contienen saponinas esteroides conocidas como capsicidinas.

La cayena estimula la circulación y promueve la sudoración. También ayuda a la digestión al promover la
eliminación de toxinas del intestino mediante la producción de mucosa intestinal.

Dosis: De 500 mg a un gramo al día en forma de cápsulas
o tabletas, o de uno a dos ml diarios como tintura.

## Jengibre (*Zingiber officinale*)

Esta planta tropical perenne forma estructuras tumo-
rosas y gruesas conocidas como rizomas tuberosos, de
los cuales brotan hermosas hojas verdes y moradas con
forma de lanza. El jengibre es una de las especias medicinales más antiguas que se conocen. Tiene propiedades analgésicas, antihistamínicas, desinflamatorias
y contra las náuseas, además de un efecto calentador
que promueve la sudoración, lo cual lo hace muy útil
para la desintoxicación. Su acción antiséptica puede
apoyar a las bacterias intestinales benéficas, como los
lactobacilos, a la vez que previene infecciones en el intestino. De manera reciente, se ha encontrado que el
jengibre actúa de manera similar al ajo pues reduce la
coagulación de la sangre, impulsa la circulación y reduce la presión sanguínea. También puede emplearse
para apaciguar las náuseas durante la desintoxicación,
así como para aliviar la jaqueca, indigestión, hinchazón y diarrea.

Dosis: Fresco: Agrega 7.5 gramos de jengibre fresco (rebanado y machacado o rallado) a una ollita de agua hirviendo y deja reposar la infusión por cinco minutos. Añade miel orgánica y limón para darle más sabor. En cápsulas: Una cápsula de 250 mg de polvo de raíz de jengibre –estandarizada para tener un 0.4 por ciento de aceites volátiles– de dos a cuatro veces al día.

## Remedios homeopáticos purificadores

La homeopatía es una de las formas más populares de la medicina alternativa. Está basada en dos principios fundamentales. El primero es que "el problema cura el problema", lo cual significa que las sustancias que causan ciertos síntomas también los curarán. El segundo es que "menos, cura más", que quiere decir que entre más pequeña es la dosis, más grande es el efecto. Al diluir las sustancias varios cientos, miles o, incluso, millones de veces, sus propiedades curativas se fortalecen a la vez que se pierde cualquier efecto secundario.

Los remedios homeopáticos se preparan a partir de tinturas madre, las cuales se mezclan en una décima o centésima parte: una parte de tintura por nueve partes de alcohol se vuelve la potencia 1x, mientras que una parte de tintura por 99 de alcohol se vuelve la potencia 1c. El proceso continúa al tomar una parte de cada solución y mezclarla con 9 o 99 partes de alcohol hasta alcanzar la potencia requerida. Para ilustrar cuán diluidas están esas sustancias, una solución de 12c puede compararse con una pizca de sal disuelta en un volumen de agua equiparable al del Océano Atlántico.

La forma de homeopatía conocida como "desagüe" resulta muy útil cuando se sigue un régimen de desintoxicación. Ésta busca estimular uno o más órganos excretores del cuerpo para que ayuden a eliminar las toxinas. Apoya las funciones del hígado, riñones, pulmones, piel, vasos linfáticos y membranas mucosas.

Un remedio al que se conoce como el complejo "desaguador" puede tomarse por una o dos semanas durante la desintoxicación. Éste contiene seis elementos homeopáticos para apoyar la eliminación: Bryonia, Nux vomica, Berberis, Chelidonium, Solidago y Taraxacum.

Existen otros remedios homeopáticos que también pueden emplearse para ayudar al drenaje. Estos deben prepararse de acuerdo con tus necesidades, por lo que es importante que consultes a un homeópata calificado.

Los remedios homeopáticos, que suelen tener forma de píldoras (chochos) o tabletas, deben tomarse no menos de diez minutos antes o después de comer o beber. Deposítalos en tu boca sin tocarlos con las manos al vaciarlos en la tapa de su frasco o en una cuchara. Deja que las píldoras se disuelvan bajo tu lengua —no las tragues enteras.

| Función | Desaguadores Homeopáticos |
|---|---|
| Estimula las glándulas suprarrenales. | Adrenalina. |
| Estimula los vasos linfáticos. | Phytolaca. |
| Estimula las membranas mucosas. | Allium cepa, Euphrasia, Hidrastis, Kalium, Iodatum, Ledum, Sabadilla. |
| Apoya el funcionamiento del hígado. | Bryonia, Carduus marianus, Chelidonium, cinchona, Conium, Nux vomica, Secale, Solidago, Taraxacum. |
| Apoya el funcionamiento de los riñones. | Berberis, Formica rufa, zarzaparilla, Solidago. |
| Apoya el funcionamiento de la piel. | Calendula, Fumaria, Saponaria, Petroleum, Viola tricolor. |
| Apoya el funcionamiento de los pulmones. | Sticta. |
| Apoya el funcionamiento de los intestinos. | Condurango, Ornitogallium, Ruta graveolens. |

## Desintoxicación con acupuntura

La acupuntura es una antigua terapia basada en la creencia de que la energía vital (ch'i o qi, y se pronuncia chi) fluye por todo el cuerpo a lo largo de varios conductos llamados meridianos. Este flujo de energía depende del equilibrio de dos fuerzas opuestas –el ying y el yang–, el cual puede romperse con facilidad debido a factores como el estrés, trastornos emocionales, una dieta deficiente y descuido espiritual. Cuando algo interrumpe el fluir de la energía, aparecen los síntomas de las enfermedades.

Existen doce meridianos principales, seis de los cuales poseen una polaridad yang y se relacionan con los órganos huecos como la matriz, mientras que los otros seis se relacionan básicamente con los órganos sólidos, como el hígado. También hay ocho meridianos secundarios que controlan a los primeros doce. A lo largo de cada meridiano se ha identificado un número de acupuntos donde se concentra la energía ch'i y por los que puede entrar y salir del cuerpo. Tradicionalmente, se señalaban 365 acupuntos clásicos en los meridianos, pero en la actualidad se han descubierto muchos más, y las cartas modernas muestran cerca de dos mil acupuntos.

La acupuntura que utiliza cinco acupuntos en el oído (terapia auricular) puede usarse durante la desintoxicación para ayudar a superar el deseo por consumir cosas tales como dulces, comida grasosa, nicotina, cafeína, alcohol o drogas.

## Dejar de fumar

La nicotina, el componente adictivo del tabaco, es un veneno capaz de provocar síndrome de abstinencia con tensión, agresividad, depresión, insomnio y deseo ansioso por consumirla. Por lo tanto, necesitas tomar las cosas con calma y quizá ocuparte en reducir y abandonar tu hábito antes de comenzar un plan integral de desintoxicación.

## Consejos que te ayudarán a dejar de fumar

- Busca apoyo –dejar de fumar es más fácil con la ayuda de un amigo o compañero.
- Reduce la cantidad de cigarrillos que fumas al día, comenzando por aquellos que extrañarías menos.
- Continúa la reducción de tu consumo hasta que lo abandones en forma gradual, o hasta que te sientas listo para eliminar por completo los cigarrillos restantes.
- Señala el día que piensas dejar de fumar y prepara tu mente de la forma correcta.
- Aleja la tentación al deshacerte de todas tus provisiones de tabaco, papel para cigarrillos, cerillas, encendedores y ceniceros.
- Concéntrate en llegar sin fumar al final de cada día: No pienses en esto a largo plazo pues podrías desanimarte.
- Cuando sientas el deseo de fumar, piensa de manera positiva y di para tus adentros: "Aunque tengo ganas de un cigarrillo, no lo necesito porque ya no fumo", y repasa todas las razones que tienes para dejarlo.
- Lleva un registro de desintoxicación del tabaco y marca cada día que te mantengas dentro de tu límite de consumo, o que resistas sin fumar en lo absoluto.
- Piensa en un premio por cada semana de éxito.
- Relájate con el masaje, yoga o meditación.
- Mantén tus manos ocupadas con actividades de modelado, dibujo, pintura, trabajo de punto u origami.
- Aumenta la cantidad de ejercicio regular que haces pues esto puede ayudar a refrenar el síndrome de abstinencia.

- Identifica las situaciones en las que sueles fumar y evítalas o planea de antemano alguna manera de superarlas. Por ejemplo, practica decir, "No gracias, ya lo dejé" o "No gracias, lo estoy reduciendo".
- Pide a amigos y familiares que no fumen cerca de ti.

## Consejos para ayudarte a superar las ansias por fumar

- Chupa un falso cigarrillo o una vara herbaria, los cuales puedes conseguir en farmacias.
- Chupa varas de apio o zanahoria.
- Cómete una manzana.
- Lava tus dientes con una pasta de sabor muy intenso.
- Sal a dar una caminata vigorosa o ve a nadar, a andar en bicicleta o a trotar.
- Toma un suplemento que contenga avena (*Avena sativa*), la cual puede reducir el deseo de fumar.
- Toma alguna esencia floral como el "remedio de salvación", la "esencia de emergencia" o la agrimonia (*Agrimonia eupatoria*). La manzana silvestre (*Malus pumila*) puede ayudar a desintoxicar a las personas aficionadas a las drogas o al alcohol.
- Utiliza productos de aceites esenciales, como *Logado* o *Nicobrevin* para ayudar a reducir la ansiedad por el tabaco.

# 4
# EQUILIBRA

Una vez que pones en marcha tu programa de purificación, puedes comenzar a equilibrarlo al añadir suplementos alimenticios. Estos proporcionan vitaminas, minerales y ácidos grasos esenciales que pueden ayudar a que tu cuerpo alcance un óptimo balance nutricional.

El razonamiento clásico de la desintoxicación es que los suplementos alimenticios (además de las fuentes de antioxidantes y de *acidophilus*) no deben administrarse al inicio –así como tú no cambiarías el aceite a un auto en servicio hasta que primero se vaciara el aceite viejo y sucio (las toxinas). Por lo tanto, primero se limpia y después se fortifica con suplementos vitamínicos y minerales, y con ácidos grasos esenciales como los contenidos en los aceites de prímula o el omega 3 de pescado. Para ayudar a alcanzar el equilibrio, existen varios adaptógenos (por ejemplo, la hierba de uno de los *ginsengs*) que facilitan que el cuerpo enfrente o se adapte a periodos de tensión y enfermedad, así como al proceso de desintoxicación.

A la larga, también se obtiene equilibrio al seguir un régimen alimenticio y un modo de vida más sanos que reduzcan la acumulación de toxinas en el futuro. Una dieta equilibrada y sana debe contener cereales integrales, verduras, legumbres, carnes blancas y pescado, además de muy poca azúcar, sal, cafeína o alcohol. El deseo de cosas dulces puede satisfacerse al comer más frutas, ya sean frescas o secas, y miel orgánica.

También existen varias terapias complementarias que te ayudan a conservar el equilibrio una vez que concluye tu proceso de purificación.

## SUPLEMENTOS ALIMENTICIOS

Una vez que se concluye el proceso de desintoxicación, llega el momento de reconstruir los cimientos alimenticios de la salud y el bienestar. Aunque la dieta siempre es lo más importante, un buen número de personas no obtienen de sus alimentos todas las vitaminas, minerales y ácidos grasos esenciales que necesitan. En el caso de algunos nutrientes vitales como el selenio, nuestras tierras están ya tan agotadas que aun cuando lleves una dieta sana y orgánica, es casi imposible que obtengas de los puros alimentos las cantidades que necesitas para protegerte del cáncer. Por lo tanto, es prudente que consideres tomar un suplemento multivitamínico y mineral, además de aceite de prímula que te proporcionará los ácidos grasos esenciales. También debes pensar en consumir un suplemento antioxidante (véanse pp. 64-65) y otro probiótico, además de algas que contengan clorofila. Si te sientes corto de energía, quizá también te convenga optar por la coenzima Q10. Todos estos suplementos serán descritos de manera más detallada en las páginas siguientes.

### Algas

La *Spirulina*, la *Chlorella* y las algas de color verde azulado, como el *Aphanizomenon flos-aquae*, evolucionaron hace aproximadamente 3.5 billones de años como la primera forma de vida con éxito en la Tierra. Tuvieron el planeta para ellas solas por un millón de años, y la *Chlorella* llegó a ser la primera forma de vida en desarrollar un verdadero núcleo celular, del cual carecen tanto la *Spirulina* como las algas de color verde azulado. Representa una fuente alimenticia completa de más de 100 nutrientes sinérgicos de fácil asimilación, que incluyen antioxidantes, vitaminas, minerales, enzimas, ácidos grasos esenciales, aminoácidos esenciales y no esenciales, hierro, clorofila, proteínas y otras sustancias protectoras. Como base del desarrollo de la vida en la Tierra, las algas son uno de los alimentos que el cuerpo humano asimila con mayor facilidad. La estructura de clorofila que contienen las algas de color verde azuloso recuerda mucho a la de la hemoglobina de nuestra propia sangre, con la diferencia de que la hemoglobina posee un átomo de hierro mientras que la clorofila lo tiene de magnesio. Sus proteínas también tienen forma de glucoproteínas, a las que el cuerpo prefiere en lugar de las lipoproteínas –que se encuentran en la mayoría de los alimentos– por no tener que gastar energía para convertirlas en alguna sustancia utilizable.

Investigaciones realizadas por la NASA sugieren que las algas de color azul verdoso son la comida perfecta para los astronautas, pues son los alimentos que contienen la mayor cantidad de nutrientes del planeta y proporcionan más vitaminas, minerales y proteínas por acre que cualquier otra fuente alimenticia. Pero también los terrícolas nos beneficiamos con ellas pues podemos consumir tanto como queramos durante la parte equilibrante del proceso de desintoxicación.

Las algas también tienen una acción quelante muy útil en el cuerpo (véase p. 42). Por ejemplo, los fitoquímicos azules que contiene la *Spirulina* realizan una poderosa acción desintoxicante que ayuda a reducir el daño hepático producido por metales pesados como el mercurio.

Dosis: Varía según el producto, pero la más común es de tres gramos al día. Pueden consumirse grandes cantidades como alimento sin que, en apariencia, se produzcan daños. Algunos productos se han contaminado con algas tóxicas, por lo que debes asegurarte de elegir una marca reconocida de preferencia, una cuyas algas crezcan en aguas sin contaminar y que esté certificada como orgánica.

Además de proporcionar nutrientes, las algas tienen una acción desintoxicante de gran utilidad. Si se añaden toxinas como el mercurio, cobre, plomo y cadmio a cultivos de levadura –por ejemplo–, las células comienzan a morir. Pero si se añade *Chlorella*, las células de la cebada sobreviven debido a que las algas poseen una asombrosa capacidad para absorber y neutralizar toxinas –incluso el uranio.

## Aceite de prímula (onagra)

Las semillas de la prímula (*Oenothera biennis*) son una rica fuente de un ácido graso esencial llamado ácido gamalinolénico, el cual actúa como tabique constructor de una piel sana y del equilibrio hormonal. También realiza una acción desinflamatoria. El cuerpo no produce ácidos grasos esenciales por sí solo, por lo que éstos deben provenir de la dieta. Son tan importantes para el equilibrio metabólico que alguna vez se les dio el nombre colectivo de "vitamina F". Por desgracia, se calcula que ocho de cada diez personas padecen deficiencia de ácidos grasos esenciales por no comer suficientes nueces, semillas o pescados ricos en aceite.

Existen dos ácidos grasos esenciales principales. El ácido linolénico, que cuenta con variedades como el ácido gamalinolénico, se encuentra en los aceites de prímula, de semilla de borraja y de semilla de grosella negra; el ácido linoleico se encuentra en las semillas de girasol, en las almendras, maíz, semillas de sésamo, aceite de cártamo y aceite de oliva extra virgen. Tanto el ácido linolénico como el linoleico se encuentran en grandes cantidades en las nueces, semillas de calabaza, frijoles de soya, y en los aceites de linaza, nabo silvestre y lino.

Una vez ingeridos, los aceites grasos esenciales pasan por una serie de reacciones metabólicas (la ruta de los ácidos grasos esenciales) que los transforman en unas sustancias llamadas prostaglandinas, similares a las hormonas. Las prostaglandinas participan en toda una variedad de reacciones metabólicas equilibrantes. Parte del ácido gamalinolénico puede sintetizarse a partir del ácido linoleico contenido en los alimentos, pero esta reacción necesita de una enzima (la delta 6 desaturasa) cuya acción interrumpen con facilidad una serie de factores asociados con una dieta y un modo de vida poco saludables. Éstos incluyen el consumo excesivo de grasa (animal), de ácidos grasos del tipo *trans* (contenidos en las margarinas hidrogenadas), de azúcar y de alcohol, la deficiencia de ciertas vitaminas y minerales, como la vitamina B6, el zinc y el magnesio, una mala dieta, el consumo de cigarrillos y la exposición a contaminantes.

Cuando no obtienes los suficientes ácidos grasos esenciales de tu dieta, tu cuerpo puede utilizar también los que se derivan de las grasas saturadas, pero esto suele provocar desequilibrios de prostaglandina. Las prostaglandinas formadas a partir de otros tipos de grasa no pueden convertirse en las derivadas de los ácidos grasos esenciales. Esto incrementa el riesgo de padecer desequilibrios, sobre todo de hormonas sexuales, y se les relaciona con síntomas como resequedad y picazón en la piel, enfermedades inflamatorias crónicas como la artritis reumatoide, la psoriasis y el eczema, y con problemas ginecológicos como dolores mamarios cíclicos. El aceite de prímula deshace cualquier obstrucción enzimática pues actúa justo a la mitad de la "ruta de los ácidos grasos esenciales".

La fatiga y el agotamiento son efectos comunes de la toxicidad, y en una prueba, los suplementos de ácidos grasos esenciales produjeron beneficios significativos después de tres meses en el 90 por ciento de las personas que sufrían de fatiga crónica.

Dosis: Un gramo al día para mejorar la salud general. Pueden tomarse hasta tres gramos diarios para tratar desequilibrios hormonales como los asociados con los dolores mamarios cíclicos y con los síndromes premenstrual y menstrual. El efecto benéfico puede tardar hasta tres meses para hacerse notorio. La acción del ácido gamalinolénico es impulsada por la vitamina E. También hay ciertas vitaminas y minerales que son necesarios durante el metabolismo de los ácidos grasos esenciales. Éstos son la vitamina C, vitamina B6, vitamina B3 (niacina), zinc y magnesio. Si consumes aceite de prímula, debes asegurarte de que las cantidades que ingieres sean las adecuadas.

Nota: Las únicas personas que no deben emplear el aceite de prímula son las alérgicas a él y aquellas que padezcan un desorden nervioso particular conocido como epilepsia del lóbulo temporal.

## Multivitaminas y minerales

Elige un suplemento vitamínico y mineral que proporcione cerca de un 100 por ciento de la cantidad diaria recomendada de tantas vitaminas y minerales como sea posible. También deberás tomar un suplemento antioxidante adicional.

Aunque sólo se les necesita en cantidades muy pequeñas, las vitaminas y minerales son nutrientes indispensables para la buena salud y el bienestar. Ellos intervienen en reacciones aceleradoras que digieren los alimentos, purifican el oxígeno, producen energía, permiten el crecimiento de las células, combaten las infecciones y mantienen una buena marcha del metabolismo. Los minerales también desempeñan un papel fundamental en los huesos y dientes. Algunas vitaminas y minerales actúan como antioxidantes (véase p. 64) y protegen el cuerpo de algunos de los daños de las toxinas.

La siguiente tabla muestra las cantidades diarias recomendadas de toda una serie de vitaminas y minerales. Algunos nutriólogos recomiendan cada vez más un consumo más elevado de algunos de ellos, por ejemplo, de las vitaminas C y E y de minerales como el calcio y el selenio.

| Vitamina | Cantidad diaria recomendada | Función | Buenas fuentes alimenticias |
|---|---|---|---|
| A | 800 mcg | Regula la manera en que se sigue la información genética para hacer proteínas. Controla el crecimiento y desarrollo normales. Mantiene sanas la piel y membranas mucosas. Es necesaria para la visión nocturna. | Hígado, huevo, pescados ricos en aceite, leche, queso y mantequilla. El caroteno beta (dos moléculas juntas de vitamina A) se encuentran en los vegetales de hoja verde oscuro y en las frutas de color naranja amari-llento. |
| B1 B2 B3 B5 B6 B12 | 1.4 mg 1.6 mg 18 mg 6 mg 2 mg 1 mcg | El complejo vitamínico B es necesario para la producción de energía en las células y para el funcionamiento de los nervios, división celular e inmunidad sanos. | Levadura de cerveza, extracto de levadura, arroz integral, germen y salvado de trigo, nuez, cereales integrales, carne, mariscos, hígado, productos lácteos y verduras de hoja. |
| Biotina | 0.15 mg | La producen las bacterias benéficas del intestino. Es necesaria para la buena salud del cabello, piel y glándulas sudoríparas. Interviene en el metabolismo y en la formación de moléculas de reserva energética. | Hígado, riñones, extracto de levadura, nueces y cereales integrales. |
| Folato | 200 mcg | Esencial para una división celular y funcionamiento nervioso normales. Brinda protección contra algunas anormalidades. | Verduras de hoja, extracto de levadura, granos integrales, nueces, hígado, productos lácteos, frutos cítricos y huevo. |

| Vitamina | Cantidad diaria recomendada | Función | Buenas fuentes alimenticias |
|---|---|---|---|
| C | 60 mg | Interviene en la fabricación del colágeno, una importante proteína estructural. Necesaria para la buena salud de los tejidos para su crecimiento, reparación y reproducción. | Frutos cítricos, grosella negra, kiwi, mango, pimiento verde, verduras de hoja, perejil y otras hierbas verdes. |
| D | 5 mcg | Es necesaria para la absorción del calcio y el fosfato de los alimentos. Resulta esencial para la buena salud de los huesos y dientes. | Pescados ricos en aceite (como sardina, arenque, caballa, salmón y atún), aceites de hígado de pescado, margarina, hígado, huevo y leche fortificada. |
| E | 10 mg | Poderoso antioxidante que protege las grasas corporales (como membranas celulares, cobertura de los nervios y moléculas de colesterol) Fortalece las fibras musculares, refuerza la inmunidad y mejora la flexibilidad y capacidad para sanar la piel. | Aceite de germen de trigo, aguacate, nueces, semillas, margarina, huevo, mantequilla, granos integrales y pescados ricos en aceite. |
| **Mineral** | | | |
| Calcio | 800 mg | Componente fundamental de huesos y dientes. Esencial para la conducción nerviosa, la contracción muscular y la producción de energía. Es necesario para la coagulación de la sangre y algunas acciones enzimáticas y funciones inmunes. | Leche y productos lácteos, verduras de hoja, salmón, nueces y semillas, legumbres y huevo. |

| Mineral | Cantidad diaria recomendada | Función | Buenas fuentes alimenticias |
|---|---|---|---|
| Yodo | 150 mcg | Produce dos hormonas tiroideas que controlan el ritmo metabólico. | Pescado (eglefino, salmón y atún), mariscos (camarones, mejillones, langosta y ostiones), algas marinas sal yodatada y leche. |
| Hierro | 14 mg | Es necesario para la producción de hemoglobina, pigmento rojo que transporta oxígeno alrededor del cuerpo. También se encuentra en la mioglobina la cual adhiere el oxígeno a las células musculares. Se le requiere para producir energía y combatir infecciones. | Carne roja, pescado (sobre todo las sardinas), levadura de cerveza, carniza, germen de trigo, pan integral, yema de huevo, verduras, perejil y otras hierbas verdes, ciruela pasa y otras frutas secas. |
| Magnesio | 300 mg | Mantiene la estabilidad eléctrica de las células y regula el ritmo cardiaco. Se le necesita para la mayoría de las reacciones metabóli-cas –pocas enzimas pueden funcionar sin él. | Soya, nueces, levadura de cerveza, granos integrales, arroz integral, mariscos, carne, huevo, productos lácteos, plátanos, vegetales de hoja color verde oscuro, hierbas y chocolate. |
| Fósforo | 800 mg | Componente fundamental de huesos y dientes. Es esencial para la producción de compuestos de reserva ricos en energía. | Leche y productos lácteos, nueces, cereales integrales, pollo, huevo, carne, pescado y legumbres. |
| Zinc | 15 mg | Es esencial para el funcionamiento adecuado de cerca de 100 enzimas. Vital para el crecimiento, la madurez sexual, la curación de las heridas y la inmunidad. | Carne roja, mariscos (sobre todo, los ostiones), carniza, levadura de cerveza, granos integrales, legumbres, huevo y queso. |

## Aceites de pescado omega 3

Los aceites de pescado omega 3 se derivan de la carne y no del hígado de los pescados ricos en aceite. Contienen ácidos grasos esenciales (ácido eicosapentenoico) cuyo efecto en el funcionamiento del hígado y de las grasas sanguíneas reduce el riesgo de padecer arteriosclerosis, infartos, hipertensión y apoplejía.

Algunas investigaciones sugieren que los aceites de pescado aumentan los niveles de azúcar en la sangre de las personas diabéticas. Sin embargo, el aceite de pescado omega 3 reduce el riesgo de sufrir las enfermedades coronarias que provoca la diabetes. Si sufres de diabetes, revisa con cuidado tus niveles de azúcar cuando consumas suplementos de aceite de pescado.

Dosis: La común es de uno a cuatro gramos al día. La vitamina E adicional evita que se arrancie el contenido de las cápsulas.

## Corrige tu dieta

Una dieta saludable y balanceada debe proporcionar toda la energía, proteínas, ácidos grasos esenciales, vitaminas, minerales y cofactores que tu cuerpo necesita sin proveer ninguno en exceso. Por desgracia, muchos alimentos contienen pesticidas, fertilizantes, sustancias promotoras del crecimiento y otros agroquímicos que, con toda probabilidad, tienen efectos tóxicos en el cuerpo. Como parte de tu programa de desintoxicación a largo plazo, es de vital importancia que comas tantos alimentos orgánicos como puedas (véase p. 60).

Los alimentos ricos en antioxidantes (como las verduras, nueces y semillas), las habas y los granos integrales, los caroteniodes (frutas y vegetales verdes, amarillos y anaranjados), los bioflavonoides —que se encuentran junto con la vitamina C en casi todas las frutas y vegetales— y los vegetales crucíferos (col o berza), col de Bruselas, coliflor y brócoli) ayudan a mejorar tus sistemas de desintoxicación. Además de consumir alimentos de mejor calidad, también es importante que cambies la manera en que comes:

- Come frutas y verduras crudas, o sólo ligeramente cocidas al vapor, según se requiera.
- Come poco y de manera frecuente en lugar de hacer dos o tres grandes comidas al día.
- Mastica bien tus alimentos, pues así se liberan enzimas que ayudan a la digestión.
- Evita al máximo los alimentos procesados, los aditivos, el azúcar, la sal, la cafeína y el alcohol.

## Carbohidratos

Los carbohidratos alimenticios constituyen la principal fuente de energía corporal y lo ideal es que proporcionen, al menos, la mitad de tu consumo diario de energía. Es preferible consumir carbohidratos complejos y sin refinar como los contenidos en los cereales, pastas, pan y arroz integrales, y las papas sin pelar, debido a que contienen valiosos nutrientes adicionales, como vitaminas, micronutrientes y fibra alimenticia. Se sabe que algunas formas de carbohidratos provocan grandes variaciones en los niveles circulantes de glucosa en la sangre, lo cual puede desencadenar efectos tóxicos en el metabolismo y la salud. El alcance de estas oscilaciones recibe el nombre de "Índice Glucémico" (IG). Para mejorar tu salud general, y en particular, cuando sigas un programa de desintoxicación, trata de seleccionar alimentos con un IG bajo o moderado. Los alimentos con un IG elevado deben combinarse con aquellos que lo tengan bajo para reducir las fluctuaciones en el nivel de azúcar en la sangre. Por ejemplo, las raíces y los tubérculos se combinan bien con los frijoles.

## Indice glucémico de los alimentos integrales
### (Glucosa = 100)

| Alimento | G | Alimento | G |
|---|---|---|---|
| Papa horneada | 98 | Frijoles orgánicos cocidos | 40 |
| Chirivía | 97 | Naranja | 40 |
| Zanahoria | 92 | Manzana | 39 |
| Miel | 87 | Garbanzo | 36 |
| Arroz integral | 82 | Leche | 32 |
| Pan integral | 72 | Habichuela | 31 |
| Uva pasa | 64 | Chabacano | 30 |
| Plátano | 62 | Frijol | 29 |
| Elote | 59 | Lenteja | 29 |
| Camote | 50 | Durazno | 29 |
| Avena | 49 | Toronja | 26 |
| Uva | 44 | Cebada | 22 |
| Pastas integrales | 42 | Frijol de soya | 15 |

Para aumentar los niveles de energía, reducir el almacenamiento de grasa y estabilizar los niveles de glucosa
en la sangre es útil hacer cinco o seis pequeñas comidas
al día espaciadas en intervalos regulares.

## Grasas alimenticias

Es importante consumir cierta cantidad de grasa para
la salud de las membranas celulares, del funcionamiento
de los nervios y del equilibrio hormonal. Una dieta
que proporcione demasiada grasa sin suficientes frutas,
vegetales o alimentos ricos en almidón, es dañina para
la salud. Por lo tanto, el equilibrio tiene una importancia vital. Las grasas constituyen la fuente alimenticia
más rica en energía, pero lo ideal es que no proporcio-

nen más del 30 por ciento de tu consumo diario de energía. Como el cuerpo no puede producir por sí mismo los ácidos grasos esenciales, que son vitales para la salud, éstos deben provenir de fuentes alimenticias como las nueces, semillas, verduras de hoja, pescados ricos en aceite y cereales integrales, o de suplementos tales como el aceite de prímula o los aceites de pescado omega 3 (véase p. 98).

Una dieta balanceada debe incluir pescados —sobre todo aquellos que son ricos en aceite como la caballa, sardina y salmón. Estos contienen cantidades generosas de ácido eicosapentenoico, una sustancia que adelgaza la sangre, reduce los niveles de colesterol, disminuye la hipertensión y previene las enfermedades coronarias. Dicho ácido también controla la inflamación y puede reducir los efectos tóxicos de los padecimientos inflamatorios como la artritis reumatoide, colitis ulcerativa, psoriasis y, posiblemente, asma. Además, se ha descubierto que los aceites de pescado detienen el crecimiento de las células cancerosas, reducen el riesgo de pólipos intestinales y revierten la pérdida de peso en los pacientes con cáncer. La Fundación Británica para la Nutrición recomienda que comamos al menos 300 gramos de pescado rico en aceite a la semana (de dos a tres raciones), lo cual significa, según cálculos actuales, que multipliquemos por 10 nuestro consumo promedio. Sin embargo, es importante que compres pescado criado en mares declarados *orgánicos* por la Asociación de Tierras —o por la autoridad correspondiente en tu país— para evitar que consumas las toxinas del pescado proveniente de aguas contaminadas.

El aceite de oliva es una rica fuente de ácido oleico, una grasa monobásica no saturada que mantiene niveles sanos de colesterol en la sangre y reduce el riesgo de enfermedades coronarias. También puede ayudar a prevenir los cálculos biliares.

## Proteínas

Las proteínas se componen de bloques de aminoácidos, veinte de los cuales son importantes para la salud humana. Diez de estos aminoácidos esenciales para la nutrición no pueden ser producidos en cantidades adecuadas por el propio cuerpo, por lo que deben provenir de los alimentos.

Las proteínas alimenticias pueden dividirse en dos grupos. Las proteínas de primera clase proporcionan cantidades significativas de aminoácidos esenciales, y se encuentran en la carne, el pescado, el huevo y los productos lácteos. Las proteínas de segunda clase sólo contienen algunos de los aminoácidos esenciales, y se encuentran en alimentos como los vegetales, arroz, habas y nueces.

Durante algunos programas de desintoxicación, suele reducirse el consumo de proteínas de primera clase que tengan origen animal (por ejemplo, la carne roja). Como las dietas simples de desintoxicación recomiendan comer arroz integral así como una gran variedad de verduras y legumbres, suele ser adecuado el consumo de proteínas de segunda clase, las cuales unen y mezclan los aminoácidos esenciales. Las dietas desintoxicantes a largo plazo, que siguen a las simples, suelen ser capaces de lograr un consumo equilibrado de proteínas al recomendar comer cinco partes de arroz por una parte de habas.

## Fibra

La fibra alimenticia ayuda a la digestión y absorción de los alimentos, promueve un equilibrio bacteriano saludable y proporciona una masa importante para estimular el movimiento de la comida digerida por los intestinos. Gracias a su acción absorbente, la fibra también fomenta la eliminación de las toxinas de los intestinos. Por cada gramo de fibra que comes, los movimientos intestinales aumentan alrededor de cinco gramos en peso.

La composición de la fibra varía de manera considerable en las diferentes plantas. Estudios recientes sugieren que las bacterias intestinales se adaptan a los tipos de fibra que consumes. Después de unas cuantas semanas de llevar una dieta rica en fibra, se liberan más enzimas de las necesarias para procesar los diferentes tipos de fibra. Esto significa que la fibra que llega a tu colon se procesa más rápido, de manera que algunos de sus beneficios se pierden a menos que varíes de manera regular los tipos de fibra que ingieres. Come tantas variedades de fibra como puedas de toda una variedad de fuentes integrales como frutas y vegetales. Incrementa poco a poco tu consumo para que no sufras de gases e inflamación debidos a una sobrecarga inicial de fibra. Puede serte útil que tomes un suplemento probiótico (véase p. 79) para mejorar tu salud intestinal. Cuando sigas un programa de desintoxicación, es recomendable un suplemento de fibra como el de cáscara de zaragatona para ayudar a limpiar y estregar los intestinos. Si decides tomar suplementos de fibra a largo plazo, varía sus tipos.

## Frutas
## y otros vegetales

La importancia de las frutas, verduras, nueces, semillas y legumbres en la dieta es obvia e innegable. Todas ellas son ricas fuentes de vitaminas, minerales, fibra y de al menos veinte sustancias no nutrientes conocidas como fitoquímicos, las cuales ayudan a proteger la salud y la inmunidad. Algunas de estas sustancias son poderosos antioxidantes, mientras que otras realizan funciones benéficas similares a las hormonales o tienen efectos desinflamatorios en el cuerpo.

Muchos estudios sugieren que las personas que comen más fruta cruda y fresca (incluido el jitomate) son las menos propensas a desarrollar enfermedades coronarias y cáncer. La razón exacta de esto se desconoce, pero quizá se deba a la variedad de sustancias benéficas que contiene la fruta. Éstas incluyen los flavonoides, la fibra soluble, los micronutrientes, los fitoquímicos y los fitoestrógenos.

Los flavonoides son antioxidantes naturales que ayudan a mantener la buena salud y a prevenir enfermedades. Protegen las membranas celulares y ayudan a prevenir la arteriosclerosis. Casi todas las frutas y vegetales contienen flavonoides, de los cuales se conocen cerca de 20 mil. Un estudio encontró que los hombres que consumían más flavonoides sufrían menos de la mitad de infartos que aquellos que consumían menos. Las fuentes principales de flavonoides en el estudio fueron manzanas, cebollas y té.

La fibra soluble ayuda a que los intestinos funcionen con normalidad. Una serie de estudios ha encontrado que los sujetos que comen más fruta son menos susceptibles de padecer cáncer en el colon.

Los micronutrientes contienen todas las vitaminas, minerales y microelementos que necesitas. Constituyen buenas fuentes de las vitaminas C y E, de caroteno beta y de selenio mineral. La fruta también contiene potasio, el cual ayuda a eliminar el exceso de sodio por medio de los riñones y puede ayudar a reducir la hipertensión. Las frutas de color amarillo, anaranjado y rojo son ricas fuentes de caroteno beta, un pigmento natural relacionado con la vitamina A, el cual parece prevenir el cáncer. En forma ideal, nosotros necesitamos obtener seis mg diarios de caroteno beta (de nuestros alimentos antes que de suplementos), pero casi todos nosotros sólo obtenemos alrededor de dos gramos al día.

Los fitoquímicos son sustancias vegetales protectoras que parecen ayudar a prevenir el cáncer al inhibir una enzima necesaria para el crecimiento de las células cancerosas. Entre las frutas y vegetales más ricos en fitoquímicos se encuentran el chabacano, cereza, uva, cebolla, jitomate, ajo y perejil.

Los fitoestrógenos son hormonas vegetales que producen un ligero efecto en el cuerpo, similar al del estrógeno. Reducen los efectos del exceso de estrógeno al arrebatar estrógenos más fuertes a sus receptores, pero también al promover el funcionamiento correcto de niveles bajos de estrógeno. Por ello, los fitoestrógenos resultan muy útiles en una gran variedad de problemas femeninos que incluyen los síntomas menstruales, síndrome premenstrual, endometriosis y tumores fibroides. También parecen prevenir algunos tumores de origen hormonal como el cáncer de mama. Las frutas frescas conocidas por contener fitoestrógenos incluyen la manzana, aguacate, plátano, mango, papaya, dátil, higo, ciruela pasa y uva pasa. Después de todo, tenía razón quien dijo: "Come diario una manzana y tu vida será sana".

## Los mejores alimentos para una dieta balanceada

Chabacano: Al igual que todas las frutas y vegetales amarillos, anaranjados y verdes, el chabacano es una rica fuente de carotenoides antioxidantes, así como de vitamina C, hierro, potasio y fibra.

Brócoli: Los vegetales de color verde oscuro como el brócoli, la espinaca y las verduras tiernas son ricos en vitamina C, ácido fólico y calcio. El brócoli también contiene fitoquímicos, los cuales tienen un poderoso efecto anticancerígeno, sobre todo en casos de tumores de tracto digestivo, pulmones, mamas y próstata.

Cereza: Contiene un fitoquímico llamado ácido elágico que previene el cáncer al inhibir una enzima necesaria para el crecimiento de las células cancerosas. La cereza también tiene una acción laxante suave y ayuda a prevenir la gota. Es una buena fuente de vitamina C y potasio.

Chile: El chile estimula la producción de mucosa en el estómago, la cual puede proteger este órgano contra las úlceras pépticas y ayudarlo a expeler toxinas. El chile también contiene antioxidantes que ayudan a prevenir las enfermedades coronarias, cáncer y envejecimiento prematuro. Los fitoquímicos que contiene el chile adelgazan la sangre, lo cual reduce el riesgo de desarrollar coágulos, hipertensión y niveles elevados de colesterol. Es una buena fuente de caroteno beta y vitamina C.

Frutos cítricos: Constituyen una excelente fuente de vitamina C (vital para la salud de los huesos y piel) y bioflavonoides (poderosos antioxidantes que ayudan a prevenir el cáncer, enfermedades cardiacas e inflamaciones). Los frutos cítricos también contienen pectina, una fibra soluble que ayuda a reducir los niveles de colesterol. El limón es una rica fuente de limonina, un fitoquímico que previene el cáncer. Si sazonas tus alimentos con jugo de lima, disminuirá tu necesidad de sal.

Jugo de arándano: Hay investigaciones que sugieren que beber 300 ml diarios de jugo de arándano reduce casi a la mitad el riesgo de contraer cistitis. El arándano contiene unos fitoquímicos conocidos como antiadhesinas que detienen las bacterias y toxinas que se adhieren a las paredes del tracto urinario, por lo que son desalojadas con mayor facilidad. También es una buena fuente de vitamina C.

Ajo: Los fitoquímicos contenidos en el ajo evitan el desarrollo de niveles altos de colesterol y de hipertensión, mejoran la circulación y reducen el riesgo de enfermedades coronarias e infarto. Estudios realizados en China sugieren que las personas que comen regularmente hasta veinte gramos de ajo fresco al día presentan los índices más bajos de cáncer estomacal. El ajo es un descongestionante natural, y sus acciones antivirales y antibacterianas ayudan a evitar la tos y los resfriados.

Uva: Al igual que la cereza, la uva contiene ácido elágico, el cual tiene poderosas cualidades anticancerígenas. Las uvas rojas y negras contienen pigmentos antioxidantes que son más poderosos que las vitaminas C o E. Por ejemplo, el resveratrol ayuda a prevenir la arteriosclerosis. La uva es una buena fuente de potasio y microelementos minerales como boro, magnesio y cobre.

Papaya: Constituye una excelente fuente de caroteno beta, vitamina C y fibra. Contiene la enzima *papaína*, la cual descompone las proteínas e impulsa la digestión. Su pulpa es suave y de fácil digestión, por lo que es un magnífico alimento para los convalecientes. Sus semillas saben como a granos de pimienta, y pueden secarse y molerse para preparar un condimento sano y picante.

Perejil: Es una buena fuente de vitamina C, hierro y ácido fólico. El perejil se emplea en la medicina herbaria como diurético suave y para estimular la menstruación, mejorar la digestión, y aliviar cólicos y gases.

Pimiento rojo: Es una excelente fuente de vitamina C, caroteno beta y bioflavonoides. El pimiento rojo contiene tres veces más vitamina C que los frutos cítricos (el pimiento verde –la forma no madura del pimiento rojo– contiene más del doble).

Ruibarbo: Es una rica fuente de fitoestrógenos que pueden aliviar algunos síntomas de la menopausia y ayudar a prevenir ciertas formas de cáncer. El ruibarbo es también una rica fuente de vitamina C, magnesio y potasio, y tiene una suave acción laxante. No comas las hojas (pues son venenosas) ni cocines los tallos en una sartén de aluminio (véase p. 195).

Soya: La soya y sus productos, como el tofú y el miso, son ricas fuentes de fitoestrógenos, los cuales brindan una importante protección contra las enfermedades coronarias, los síntomas de la menopausia, la endometriosis, los padecimientos mamarios benignos, los tumores fibroides y los cánceres de mama o próstata. Un consumo de tan sólo 50 gramos diarios puede ser suficiente para otorgar estos beneficios. La soya también es una rica fuente de proteínas, calcio y fibra.

Fresa: Es otra de las frutas que contienen ácido elágico, el cual inhibe los efectos de algunas sustancias cancerígenas. La fresa contiene una y media veces más vitamina C que los frutos cítricos y también es una buena fuente de hierro.

Camote: Este tubérculo de pulpa anaranjada es una rica fuente de caroteno beta y fitoestrógenos, los cuales pueden aliviar los síntomas de la menopausia y ayudar a prevenir ciertos tipos de cáncer. También es una buena fuente de potasio, vitamina C y fibra.

Jitomate: Contiene licopeno, un pigmento carotenoide con poderosas cualidades antioxidantes, razón por la cual ayuda a prevenir enfermedades coronarias y ciertos cánceres. El jitomate es además una buena fuente de caroteno beta, potasio y de las vitaminas C y E.

Té: El té es una rica fuente de antioxidantes que parecen reducir el riesgo de padecer ciertos tipos de cáncer, en especial los de estómago y vejiga. Actualmente, el té fermentado (negro) se halla bajo investigación, pues se cree que conserva estas propiedades benéficas. Las investigaciones sugieren que las personas que beben al menos cuatro tazas diarias de té tienen la mitad de probabilidades de sufrir infartos y son menos propensas a la hipertensión que las que no lo beben. El té es una rica fuente de fitoquímicos y de manganeso micronutriente. También es una de las pocas fuentes naturales del flúor, de manera que puede prevenir el deterioro dental. Cuando sigas un programa de desintoxicación, considera cambiar el café por el té. Aunque el té contiene un poco de cafeína, también es rico en flavonoides, esas sustancias conocidas por dar al vino tinto sus propiedades benéficas.

## Suplementos adaptógenos

Los adaptógenos son sustancias que fortalecen, equilibran y regulan todos los sistemas corporales. Poseen una amplia gama de acciones benéficas y fortalecen la inmunidad por medio de diversos efectos que te ayudan a adaptarte a toda una variedad de situaciones de tensión. Las investigaciones sugieren que estas sustancias aumentan la producción de energía en las células del cuerpo y hacen más eficientes el consumo de oxígeno y el procesamiento de los desperdicios celulares. Esto fomenta el crecimiento de las células y prolonga su supervivencia. Muchos adaptógenos han mostrado que normalizan los niveles de azúcar en la sangre, los desequilibrios hormonales, los desfases en el biorritmo y los efectos físicos y emocionales del estrés.

Los adaptógenos parecen funcionar mejor como estimulantes energéticos si la fatiga no se debe en forma

directa al agotamiento físico, sino a un problema sub-
yacente como una dieta pobre o irregular, un desequilibrio hormonal, estrés o el consumo excesivo de cafeína,
nicotina o alcohol. También es importante hacer cambios en el estilo de vida que devuelvan el equilibrio
(por ejemplo, abandonar o disminuir el consumo de
tabaco) para revigorizar el cuerpo. Cuando los adaptógenos se emplean en combinación con la vitamina A y
el complejo B, suelen ser más efectivos.

Cuando sigas un programa equilibrante de desintoxicación, a menudo es aconsejable que tomes uno o
más de los siguientes suplementos herbarios, según tus
necesidades: ashwagandha (ginseng hindú), astrágalo, Cimicifuga racemosa, uña de gato, ginsengs americano y chino, equinácea, paratodo (ginseng brasileño), trébol de
los prados (trifolio), reishi, esquisandra y ginseng siberiano.

## Ashwagandha (*Withania somnifera*)

Este pequeño arbusto siempre verde es originario de
India, el Mediterráneo y el Medio Oriente, y también
se lo conoce como *cerezo invernal* o *ginseng de India*. En la
medicina ayurvédica se lo utiliza como un tónico y
adaptógeno equilibrante y reparador que aumenta la
resistencia al estrés. Reduce la ansiedad y promueve
la serenidad y el sueño profundo. También se dice que
fortalece los músculos, tendones y huesos, mejora la
concentración, refuerza la inmunidad y produce *ojas*,
la energía elemental del cuerpo.

Las propiedades adaptógenas del ashwagandha se han
investigado a fondo, y pueden ser superiores a las del
ginseng en cuanto al mejoramiento de la agudeza
mental, del tiempo de reacción y del desempeño físico
en las personas sanas. Los estudios también sugieren que
puede evitar el agotamiento de la vitamina C y la
cortisona (una hormona adrenal) en sujetos estresados,

así como prevenir úlceras gastrointestinales relacionadas con la tensión nerviosa. Otros estudios han mostrado que puede elevar el nivel de hemoglobina y que tiene propiedades desinflamatorias. Además, el aswagandha es un reconocido afrodisiaco.

Dosis: De uno a dos gramos diarios de polvo de la raíz en cápsulas estandarizadas que contengan de 2 a 5 mg de withanólidos: de 150 a 300 mg.

Como a algunas personas les cuesta trabajo digerir el ashwagandha, a menudo lo toman con jengibre, leche tibia, miel o agua caliente.

## Astrágalo (*Astragalus membranaceus*)

Esta hierba equilibrante realiza acciones similares a las del ginseng chino (véase p. 113). Se recomienda como tónico a las personas que desempeñan una considerable actividad física –sobre todo en el invierno– para incrementar el vigor y la resistencia. Se dice que fortifica la constitución y ayuda a vencer la fatiga al aumentar los sentimientos de vitalidad. El astrágalo es muy usado como purificador sanguíneo además de tener una acción diurética suave y promover la sudoración. También es capaz de disminuir la presión sanguínea y promover un equilibrio saludable de los líquidos. Además, resulta muy útil para equilibrar y normalizar el funcionamiento inmune.

Dosis: De 250 a 500 mg dos veces al día

## Cimicífuga racemosa

También conocido como *raíz de Squaw*, la Cimicífuga es una herbácea perenne oriunda de Norteamérica. Los insectos evitan la planta, lo cual dio origen a su nombre en latín (*cimex* que significa insecto; *fugere* que significa huir). La raíz y los rizomas se cosechan en el otoño y se secan para usos medicinales.

La Cimicifuga es un adaptógeno conocido por su capacidad para ayudar al cuerpo a adaptarse a situaciones cambiantes y se le valora por sus propiedades equilibrantes de las hormonas y del ánimo. Contiene una serie de hormonas vegetales similares a los estrógenos (fitoestrógenos) y resulta especialmente útil para las mujeres con problemas premenstruales, menstruales o de la menopausia. Puede reducir los cambios en el estado de ánimo y los sentimientos de depresión, ansiedad y tensión además de ser una magnífica alternativa natural a la terapia de reemplazo hormonal. Como su acción hormonal tan especial no estimula los tumores sensibles al estrógeno (e incluso los puede inhibir), se han administrado en forma segura extractos de Cimicifuga a mujeres con historial de cáncer mamario.

Dosis: De uno a dos mg diarios en cápsulas estandarizadas que contengan 27 desoxiacteína; de 0.3 a dos ml diarios en extracto líquido; o de dos a cuatro ml diarios en forma de tintura.

Nota: La Cimicifuga no debe tomarse durante el embarazo ni el amamantamiento. Las cantidades excesivas pueden provocar dolor detrás de los ojos, náuseas o indigestión.

## Uña de gato (*Uncaria tomentosa*)

Derivada de una enredadera sudamericana, la uña de gato ha sido considerada como la "maravilla de las plantas medicinales". Su raíz y corteza contienen potentes alcaloides, algunos de los cuales tienen propiedades anticancerígenas, desinflamatorias y antivirales. La uña de gato puede equilibrar y apoyar el funcionamiento inmune al fomentar que los glóbulos blancos absorban y destruyan (fagocitosis) microorganismos, células anormales y partículas extrañas. Sus extractos tienen fuertes antioxidantes que ayudan a proteger contra toxinas ambientales, incluido el daño genético causado por la luz ultravioleta y el humo de cigarrillo.

Dosis: 300 mg diarios tomados en dos cápsulas estandarizadas de 150 mg cada una. Aumenta poco a poco la
dosis hasta llegar a 750 mg tomados en cinco cápsulas de 150 mg.

Nota: Como la uña de gato aumenta la reacción inmune contra las células externas, no debe emplearse
durante el embarazo o el amamantamiento ni deben usarlo las personas que se hayan sometido −o se
vayan a someter− a un trasplante de órganos o médula ósea, a un injerto de piel, o quienes tomen
medicamentos inmunosupresores. Algunos investigadores también recomiendan que se detenga el uso
de la uña de gato dos días antes y después de recibir
quimioterapia.

## Ginsengs americano y chino

Las variedades de ginseng que pertenecen a la familia
de plantas *Panax* se han empleado en el Oriente como
tónicos revitalizadores y equilibrantes por más de siete
mil años (véase p. 146).

## Equinácea (*Echinacea purpurea*)

La equinácea es un remedio tradicional que los indíge-
nas estadounidenses utilizaban para tratar infecciones
respiratorias, reducir la fiebre y aliviar reacciones alérgicas. Refuerza la inmunidad y promueve la curación al
hacer aumentar el número y la actividad de los glóbulos blancos encargados de atacar las infecciones virales
y bacterianas. La equinácea ha demostrado que casi
puede duplicar el tiempo que transcurre entre una infección y otra en quienes la usan y que, cuando llega a
presentarse alguna, tiende a ser menos severa. Puede
usarse como método de prevención o como tratamiento.
Además, es desintoxicante y ayuda a la eliminación por
medio del sudor.

Dosis: 300 mg de extracto deshidratado (en forma de cápsulas o tabletas) tres veces al día por una o dos semanas. No suele usarse a largo plazo para la desintoxicación.

## Paratodo (*Pfaffia paniculata*)

También conocida como *suma* o *ginseng brasileño*, el paratodo es una enredadera terrestre nativa de Brasil. Como su nombre lo indica, algunos lo han considerado una panacea para todos los males, además de ser un alimento muy completo y rico en vitaminas. Sus abundantes hormonas vegetales (hasta el once por ciento de su peso) tienen acciones similares a las del estrógeno y son capaces de reducir los niveles de colesterol.

Aunque la *Pfaffia* no guarda relación alguna con el ginseng chino, posee cualidades equilibrantes y adaptógenas similares y puede ayudar a que el sistema inmune se adapte a varios tipos de estrés como los provocados por exceso de trabajo, enfermedades y fatiga. Se le emplea para impulsar los niveles de energía física, mental y sexual, así como para producir una sensación general de bienestar. Su eficacia para tratar desequilibrios hormonales en las mujeres ha hecho que tenga un uso muy difundido como terapia natural de reemplazo hormonal. El paratodo también es útil en el síndrome de fatiga crónica y para mejorar la calidad del sueño.

Dosis: Un gramo al día en extractos estandarizados (cápsulas) que contengan un cinco por ciento de ecdisteronas.

No deben tomarlo las mujeres que se encuentren en condiciones de sensibilidad hormonal como el embarazo o ciertos cánceres femeninos, a menos que se encuentren bajo la supervisión de un especialista.

Nota: Los diabéticos deben revisar con cuidado sus niveles de azúcar pues la *Pfaffia* parece impulsar la producción de insulina, normaliza los niveles de azúcar en la sangre y puede reducir la necesidad de la insulina.

### Trébol de los prados/ Trifolio (*Trifolium pratense*)

El trébol de los prados, una de las más de 70 especies diferentes de tréboles originarias de Europa y Asia, contiene tres clases de hormonas vegetales similares al estrógeno. Aunque se lo usa comúnmente para equilibrar los niveles altos de estrógeno –pues diluye los efectos que tienen los estrógenos más fuertes en el cuerpo–, también se lo emplea para aumentar los niveles de esta hormona cuando se encuentran bajos. Por ello, suele prescribírselo para tratar el síndrome premenstrual, la endometriosis, los tumores fibroides y los síntomas de la menopausia.

Dosis: 500 mg al día en tabletas estandarizadas para contener isoflavonas de 40 mg.

Nota: No debe tomarse durante el embarazo o el amamantamiento.

### Reishi (*Ganoderma lucidum*)

Perteneciente a una de las siete variedades distintas de hongos *Ganoderma*, el reishi, cuyo nombre significa *hongo espiritual*, es considerado como el hongo supremo. Los chinos los llaman *ling zhi* (hongo de la inmortalidad) y le otorgan la misma importancia que al ginseng.

El reishi se ha empleado en medicina por más de tres mil años como un poderoso tónico y antioxidante con cualidades adaptógenas y equilibrantes. Por tradición, se lo ha utilizado para fortalecer el hígado, pulmones, corazón y sistema inmune, para aumentar la capacidad intelectual y la memoria, impulsar los niveles de energía física y mental, y promover la vitalidad y la longevidad. Hoy también se lo utiliza para acelerar la convalecencia, regular los niveles de azúcar en la sangre y ayudar a reducir los efectos secundarios de la quimioterapia y radioterapia. Disminuye la coagulación de la sangre y puede reducir la presión sanguínea y los niveles de colesterol.

El reishi ayuda a devolver un óptimo desempeño a las funciones naturales del cuerpo además de impulsar los niveles de energía y brindar un sueño reparador. No presenta reacción cruzada con los hongos de botón tradicionales y pueden tomarlo con confianza las personas alérgicas a los hongos silvestres.

Los efectos del reishi se fortalecen con la vitamina C, la cual incrementa la absorción de sus componentes activos.

Dosis: Una cápsula de 500 mg dos o tres veces al día.

Nota: Durante la primera semana de uso del reishi pueden aparecer ligeros efectos secundarios. Estos incluyen diarrea (que a menudo se evita si las tabletas se consumen con alimentos), irritabilidad, sed, sarpullidos por resequedad o úlceras bucales.

## Esquisandra (*Schisandra chinensis*)

Esta enredadera aromática de los bosques, originaria de China, es un famoso tónico también conocido como wu wei zi (fruta de cinco sabores) debido a su sabor salado, dulce, amargo, agrio y picante de forma simultánea.

Al igual que el ginseng, la esquisandra tiene poderosas cualidades adaptógenas que ayudan al cuerpo a sobrellevar los periodos de estrés. Se ha encontrado que eleva el consumo celular de oxígeno, aumenta la claridad mental, mejora estados de irritabilidad y mala memoria, y previene la fatiga emocional y física. Se le considera un suplemento calmante y también impulsa el funcionamiento del hígado, sistema inmune y corazón, además de brindar mejoría en padecimientos alérgicos de la piel como el eczema. Suele tomarse por 100 días para impulsar la energía y la vitalidad, y para producir una piel radiante. Tal vez sea por ello que tiene tan buena reputación como afrodisiaco.

Dosis: Una cápsula de 250 a 500 mg de una a tres veces al día.

## Ginseng siberiano (*Eleutherococcus senticosus*)

Proviene de un resistente arbusto de hoja caduca originario de Rusia oriental, China, Corea y Japón, cuya raíz realiza acciones similares a los de los ginsengs coreano y americano, aunque no guarda una relación muy cercana con ellos.

El ginseng siberiano es uno de los adaptógenos herbarios más estudiados. Se le utiliza con gran frecuencia para mejorar la fuerza y resistencia físicas, en especial, durante o después de las enfermedades y cuando se sufre de otras formas de estrés y fatiga. Investigaciones realizadas en Rusia sugieren que las personas que lo consumen con regularidad padecen 40 por ciento menos resfriados, gripe y otras infecciones que aquellas que no lo hacen y que, además, su ausentismo laboral por problemas de salud es un tercio menor. Por ello, no sorprende que lo consuman a diario 20 millones de rusos para mejorar su desempeño, bienestar y adaptación al estrés o a los cambios.

El ginseng siberiano también es empleado para contrarrestar el *jetlag* y ha mostrado que puede ayudar a normalizar la hipertensión y los niveles elevados de azúcar en la sangre. Es muy popular entre los atletas y puede mejorar de manera significativa el tiempo de desempeño y reacción hasta en una cuarta parte.

Dosis: Uno o dos gramos diarios en cápsulas estandarizadas que contengan un uno por ciento más de eleuterósidos; de manera ocasional, se recomienda tomar hasta seis gramos en épocas de estrés elevado o inmunidad reducida. Es común que se tome durante dos o tres semanas, seguidas por un receso de dos semanas en los casos de personas jóvenes, sanas y con buena condición física. La gente mayor, más débil o enferma puede tomar sus dosis de manera continua.

Ingiérelo con el estómago vacío, a menos que las sientas demasiado relajantes, en cuyo caso puedes consumirlo con tus alimentos.

Nota: No lo uses si sufres de hipertensión, sangrados nasales, periodos menstruales severos, insomnio, taquicardia, fiebre alta o insuficiencia cardiaca congestiva, a menos que te encuentres bajo supervisión médica.

## TERAPIAS EQUILIBRANTES COMPLEMENTARIAS

Existe toda una variedad de terapias complementarias que pueden emplearse por sus acciones equilibrantes durante la desintoxicación. Éstas incluyen la acupuntura, técnica Alexander, quiropráctica, terapia del color, osteopatía craneal, terapia por cristales, cimática, homeopatía, naturopatía, osteopatía, reiki y curación espiritual.

### Acupuntura

La antigua práctica china de la acupuntura puede usarse para equilibrar el flujo de la energía de la fuerza vital en el cuerpo y constituye una terapia complementaria muy útil durante el proceso de desintoxicación.

### Técnica Alexander

Fundamentada en la creencia de que la mala postura y los movimientos corporales deficientes contribuyen a una mala salud, la técnica Alexander utiliza ejercicios y movimientos suaves para enseñarte cómo moverte correctamente sin hacer tensión innecesaria. Además de mejorar tu coordinación física, la técnica Alexander tiene un enfoque holístico encaminado al bienestar mental y emocional. Al mejorar las maneras de pensar y de enfocar tu atención en cómo desempeñar labores, también ayuda a reducir el estrés y a conservar energía.

La técnica Alexander puede aliviar muchos de los síntomas asociados con la toxicidad. Resulta especialmente útil en los problemas relacionados con el estrés pues te enseña cómo liberar tensión y permanecer relajado.

## Quiropráctica

Esta terapia se basa en la creencia de que la mala alineación corporal y el funcionamiento nervioso anormal son causas directas de la mala salud. Los practicantes poseen un sentido muy fino y preciso del tacto y utilizan sus manos para manipular la columna vertebral con golpes rápidos y directos pero suaves, para realinear músculos, tendones, ligamentos y articulaciones. Éstos fortalecen y equilibran la provisión nerviosa del cuerpo, corrigen la mala alineación, alivian la tensión y promueven la relajación. La clave para el éxito en estos ajustes está en la velocidad, destreza y precisión con que se ejecutan.

La quiropráctica de McTimoney es una variación en la que se manipulan las articulaciones distintas a las de la columna. También incluye una manipulación suave con las puntas de los dedos.

## Terapia del color

Cada color vibra con una frecuencia propia de la misma manera en que lo hacen todos los seres vivientes, incluidas todas las células del cuerpo. Éste es el fundamento de la terapia del color, la cual emplea la energía de las ondas lumínicas para curar y equilibrar. Por lo tanto, el color puede influir en tus emociones y bienestar.

Un terapeuta del color utiliza las vibraciones del color para corregir desequilibrios en las vibraciones energéticas de las células, y así, devolverte el bienestar durante tu programa de desintoxicación. Por ejemplo, los tonos azules fomentan el descanso, ayudan a reducir la presión sanguínea y a mejorar el sueño, mientras que el magenta, el color del "dejar ir", se utiliza en pequeñas cantidades para ayudarte a que te liberes de ciertos pensamientos tóxicos. El verde es el color calmante de la naturaleza y representa la frescura, la regeneración y el crecimiento. Es un color especialmente bueno para usarse durante la desintoxicación pues ayuda a neutralizar el estrés y la tensión nerviosa, además de que libera emociones y miedos reprimidos.

Cada uno de nosotros está rodeado por un *aura* de energía, la cual se compone de siete influencias o *chakras*. Todos ellos contienen el espectro completo de los colores, pero siempre hay un color dominante en cada chakra. El chakra fundamental es rojo y está en la base de la columna vertebral. El chakra sacro es anaranjado y se encuentra en la pelvis, mientras que el del plexo solar, cuyo color es amarillo, se localiza debajo del esternón. El verde le corresponde al corazón, el azul turquesa a la garganta, el índigo a la frente y el violeta a la coronilla. Puede usarse una luz o cristal de color para purificar el chakra correspondiente.

Casi todos los terapeutas usan un color junto con su complemento (el color que posee las cualidades y los efectos opuestos y equilibrantes). Por ejemplo, te pueden pedir que elijas tres de ocho tarjetas de color para que revelen tu estado físico y emocional actual. Dichos colores pueden usarse en combinación con sus colores complementarios para ayudar a equilibrar la salud de tus vibraciones. Esto puede hacerse al irradiar tu cuerpo con luces coloridas, pedirte que visualices ciertos colores y aconsejarte cuáles han de tener tu ropa y alimentos. Debes usar ropa interior blanca bajo ropa coloreada de forma terapéutica para evitar que se filtren vibraciones indeseables de color.

La vibración equilibrante de un color puede verse con facilidad al observar un color en particular durante cierto tiempo y cerrar los ojos. El color complementario aparecerá como imagen accidental en el interior de los párpados: el verde es neutral, el azul complementa el rojo, el amarillo complementa el violeta y el anaranjado complementa el índigo.

| COLOR | CHAKRA | CRISTAL | EFECTO |
|---|---|---|---|
| Rojo | Fundamental | Rubí y almandina | Calmante. Equilibra el estrés y la tensión. |
| Anaranjado | Sacro | Cornerina | Activa las emociones y promueve la apertura y la liberación. |
| Amarillo | Del plexo solar | Citrina, cuarzo, ojo de tigre y topacio | Aumenta la vitalidad y libera emociones reprimidas. |
| Verde | Del corazón | Esmeralda y jade | Fomenta la paz interior, la aceptación de uno mismo y el amor; equilibra las hormonas. |
| Azul | De la garganta | Aguamarina y turquesa | Promueve la propia expresión. |
| Índigo | De la frente | Zafiro azul y lapslázuli | Fortalece la intuición e incrementa la atención; es calmante y relajante. |
| Violeta | De la coronilla | Amatista | Profundamente calmante y relajante; alivia el insomnio, la jaqueca, el estrés, la ansiedad y el miedo. |

## Osteopatía craneal y terapia craneosacra

La osteopatía craneal consiste en manipular la ligera flexibilidad que hay entre las articulaciones del cráneo para mejorar la circulación de líquidos, sangre y linfa en la cabeza. La linfa es el fluido de los tejidos que después de bañar las células del cuerpo, se drena mediante el sistema de vasos linfáticos. Los practicantes creen que el líquido cefalorraquídeo, que nutre el cerebro y la médula espinal, pulsa de seis a quince veces por minuto, y que estas pulsaciones (conocidas como *impulso rítmico craneal*) afectan cada célula del cuerpo debido a la continuidad de los fluidos y tejidos. La osteopatía craneal equilibra los movimientos y tensiones que ocurren en tu interior para aliviar una serie de problemas como jaqueca, insomnio, desánimo y problemas digestivos.

La terapia craneosacra es un tratamiento equilibrante similar que implica cargar las manos con suavidad y manipular tanto el cráneo como la columna.

## Terapia por cristales

Este tratamiento equilibra el cuerpo al emplear la energía derivada de los cristales. Por ejemplo, el cuarzo transparente permite que todos los colores del espectro lo atraviesen mientras que los cuarzos de color absorben y reflejan longitudes de onda lumínicas debido a pequeños rastros de impurezas como el hierro (amatista) o el manganeso y el titanio (cuarzo rosado). Cada cristal resuena con una frecuencia propia y puede recibir, almacenar y trasmitir energía. Cuando se aplica presión a un cristal de cuarzo, desprende energía en forma de corriente eléctrica –la base de su uso en electrónica. Los cristales ayudan a que te centres y cures al equilibrar y restituir tus niveles de energía. La fotografía Kirlian (véase p. 28) revela que cada cristal tiene su propia aura energética. Se cree que cuando ésta interactúa con el aura de una persona, absorbe las vibraciones negativas, devuelve el equilibrio y revigoriza.

En general, es importante que selecciones los cristales que te atraigan de un modo especial porque ellos serán los adecuados para ayudarte a equilibrar tu problema actual. También puedes elegir tipos de cristal particulares conocidos por ayudar a sanar síntomas específicos. Al igual que en la terapia de color (véase p. 119), los cristales de diferente color están asociados con cada uno de los siete centros energéticos (chakras) del cuerpo.

## Cimática

Es una terapia alternativa equilibrante que se basa en el hecho de que cada célula del cuerpo humano se encuentra rodeada de un campo de energía electromagnética. Éste resuena con su propia frecuencia individual. Cuando la persona está sana, sus células vibran juntas en armonía, pero si esa relación armoniosa se rompe, se producirán desequilibrios y enfermedades. En la cimática, se hacen recorrer ondas sonoras curativas por todo el cuerpo para restituir y reforzar esas frecuencias que normalmente se asocian con la salud y el bienestar. Esta terapia puede ser de ayuda en muchos problemas que incluyen el estrés, la ansiedad, la depresión, la hipertensión y los dolores de músculos y articulaciones.

## Homeopatía

Es una terapia que corrige los desequilibrios al tratar "el problema con el problema" (véanse pp. 84-85).

## Naturopatía

Basada en la creencia de que el cuerpo puede equilibrarse y curarse por sí mismo si se dan las condiciones apropiadas, la naturopatía trata de identificar la causa que subyace en las enfermedades en vez de sólo aliviar los síntomas. Un naturópata se concentrará en mantener un equilibrio entre la bioquímica y estructura corporales, y las emociones, pudiendo recomendar toda una variedad de opciones de tratamiento que incluyen cambios alimenticios, vitaminas, minerales, sales bioquímicas tisulares, remedios herbarios, hidroterapia, masaje, homeopatía, reflexología, técnicas de relajación y, a veces, manipulación. Muchos naturápatas también cuentan con preparación en homeopatía, herbolaria, iridología, osteopatía, quiropráctica o psicoterapia. Ellos fomentan un modo de vida sano con bastante aire fresco, relajación y sueño, un consumo adecuado de agua mineral, una exposición reducida a la contaminación y una actitud mental positiva. A menudo recomiendan el cepillado de la piel, los rociados con agua y los frotamientos de fricción para estimular el funcionamiento cutáneo e impulsar la circulación.

El enfoque alimenticio utilizado busca la purificación y el equilibrio por medio de un régimen integral, rico en fibra y orgánico que se concentre en alimentos frescos y, en la medida de lo posible, crudos. Una dieta naturopática es baja en sal y grasa, alta en fibra y antioxidantes, y contiene bastantes nueces, semillas, granos y legumbres para proveer de proteínas.

Si deseas seguir un programa de desintoxicación bajo supervisión profesional, un naturópata podría ser la persona indicada.

## Osteopatía

Es una terapia equilibrante que se basa en la estructura mecánica del cuerpo. Consiste en la manipulación suave de las articulaciones y los tejidos suaves para corregir la mala alineación, relajar los músculos, mejorar el funcionamiento corporal y devolver la salud. Al corregir estos aspectos se ayuda a restituir al cuerpo su capacidad de autocuración. La manipulación puede variar desde un masaje suave hasta movilizaciones rápidas y repentinas de las articulaciones. La osteopatía puede ser de utilidad en una amplia gama de problemas que incluyen molestias y dolores, jaqueca, aturdimiento, estreñimiento y malestar abdominal.

### Reiki

El reiki es un método natural de curación que equilibra mente, cuerpo y espíritu. El terapeuta coloca sus manos en una serie de posiciones sobre el cuerpo totalmente vestido para encauzar y trasmitir la energía de la fuerza vital universal. El reiki acelera la energía vibrante de manera que pueda resonar en un estado de bienestar. Al balancear el estado de las vibraciones se obtiene un equilibrio físico y emocional.

### Curación espiritual

Conocida también como "curación práctica o curación por fe", esta terapia dirige la energía equilibrante y curativa hacia tu interior. El sanador es el conducto de la energía y no la fuente, de cuya naturaleza se cree que es divina. Sin embargo, no tienes que ser creyente para beneficiarte del poder de la curación espiritual. La energía transferida por medio del sanador ayuda a reactivar los procesos reparadores del propio cuerpo que se hayan agotado.

# 5
# REFRESCA

La desintoxicación refrescará tu cuerpo y te dará una nueva sensación de vitalidad. Para facilitar este proceso, toma medidas para reducir cualquier tensión en tu vida y haz uso de aceites de aromaterapia y suplementos refrescantes.

## Reduce el estrés

El estrés es uno de los principales factores del agobio y no podrás refrescarte por completo hasta que no enfrentes las fuentes de tensión que hay en tu vida. "Estrés" es un término empleado para describir los síntomas que aparecen cuando te encuentras bajo una presión excesiva. Es necesario tener cierto nivel de estrés para vencer las dificultades de la vida, pero su exceso resulta dañino y puede hacerte sentir cansado, irritable y tenso. Los síntomas del estrés se deben a la circulación de niveles altos de hormonas del estrés como la adrenalina, los cuales ponen tus sistemas en un estado de "alerta roja". Esto tiene varias consecuencias: los niveles de azúcar en la sangre se elevan para proporcionar energía; los intestinos se vacían para que te sientas más ligero y puedas correr; las pupilas se dilatan para ayudarte a ver mejor; el ritmo respiratorio se acelera de manera que entre más oxígeno en tu circulación; el pulso y la presión sanguínea se elevan para que fluyan más oxígeno y nutrientes hacia los órganos y tejidos importantes; y la circulación disminuye en algunas partes de tu cuerpo (como los intestinos) para que pueda encauzarse más sangre a los músculos.

Estos efectos se originaron para ayudar al hombre primitivo a sobrevivir al ponerlo en el estado físico apto para pelear o huir cuando se encontraba con animales peligrosos. En la actualidad, es muy raro que necesites pelear o huir y los efectos del estrés se acumulan dentro de ti en lugar de "quemarse" con una explosión repentina de actividad física. Esto quiere decir que tu cuerpo permanece en alerta roja, lo cual conduce a los síntomas físicos y emocionales del estrés.

El estrés es un estado muy tóxico que reduce la inmunidad y se le asocia con el creciente riesgo de padecer infecciones, eczema, psoriasis, depresión, hipertensión, infarto, apoplejía e, incluso, cáncer. Las fuentes principales de estrés de las que debes ocuparte durante un programa de desintoxicación son dos: las internas y las externas.

Las fuentes de estrés interno dependen del tipo de personalidad y pueden incluir el cansancio, mala condición física y ruptura de biorritmos, quizá debido a un cambio de trabajo o a un *jetlag*. Otras poderosas causas de estrés son sentirte inseguro sobre tus metas en la vida, sentirte incapaz de manejar situaciones y tener una imagen negativa de ti mismo.

## Síntomas del estrés

### Físicos

- Cansancio.
- Sudoración.
- Rubor facial.
- Náuseas.
- Insomnio.
- Palpitaciones.
- Pulso rápido.
- Aturdimiento.
- Debilidad.

- Temblores.
- Cosquilleo y picazón.
- Entumecimiento.
- Jaqueca.
- Dolor en el pecho.
- Dolor de estómago.
- Diarrea.
- Problemas menstruales.

## Emocionales

- Pérdida de la concentración.
- Incapacidad para tomar decisiones.
- Olvidos.
- Estado de defensa excesiva.
- Sentimientos abrumadores de ansiedad y pánico.
- Miedo al rechazo.
- Temor al fracaso.
- Sentimientos de culpa y vergüenza.
- Pensamientos negativos.
- Volubilidad.
- Enojo extremo.
- Pérdida del apetito sexual y problemas sexuales.
- Comportamiento obsesivo y compulsivo.
- Sentimientos de aislamiento.
- Sentimientos de fatalidad.

## Conductuales

- Hábitos alimenticios compulsivos.
- Consumo excesivo de alcohol o tabaco.
- Abuso de las drogas.
- Se evitan lugares o situaciones.
- Agresividad.
- Cambios en los hábitos de sueño. Es frecuente que la persona comience a despertar demasiado temprano.

Las fuentes del estrés exterior se relacionan princi-palmente con el cambio, sobre todo si te es impuesto. Esto provoca incertidumbre, lo cual fomenta la ansie-dad y desencadena el estrés. Los cambios externos pue-den provenir de cualquier aspecto de tu vida como la familia, las relaciones sociales, el estilo de vida y el tra-bajo.

Una de las mejores maneras de identificar las fuen-tes de estrés en tu vida es llevar un "diario de estrés". Esto implica anotar todo lo que te hace sentir tenso y percatarte de cómo respondes a la situación y cómo la remedias para ayudar a evitar que regrese el estrés.

Trata de anotar en tu diario cada evento estresante justo después de que ocurra –no lo dejes para después porque ya no recordarás la manera exacta en que te sentiste.

**Fecha: Viernes 10 de junio**

| Hora: | Situación: | Sentimiento: | Respuesta: | Remedio a futuro: |
|---|---|---|---|---|
| 8:30 | Dormí de más. | Terrible. | No desa-yuné. | Conseguir un despertador adicional. |
| 9:30 | Llegué tarde al trabajo. | Ansioso. | Conduje demasiado rápido. | Negociar cierta flexibili-dad de horario. |
| 15:00 | Quedé atrapado en un embote-llamiento de camino a una reunión importante. | Frustado, me dió jaqueca por tensión. | Escuché música clasica. | Salir con tiempo de sobra. |
| 18:00 | El super-mercado estaba a reventar. | Furioso y aturdido. | Me apre-suré al salir y olvidé comprar algunas cosas. | Hacer mis compras cuando la tienda esté más vacía. Mimarme con un vaso de vino y un baño de aromaterapia. |

Al final de la semana relee tu diario y trata de identificar las fuentes principales de tu estrés, qué tanto control tienes sobre ellas y las medidas que puedes tomar para reducir sus efectos. Piensa en tus hábitos y considera si hay alguno que esté empeorando las cosas. Por ejemplo, en vez de ir de compras los viernes por la tarde cuando el supermercado está lleno, trata de ir en algún momento más tranquilo y ve la posibilidad de que te envíen algunos productos esenciales a domicilio, quizás en algún servicio local de entrega de alimentos orgánicos.

## Medidas para controlar el estrés

1. Averigua qué cosas te estresan y modifica las que puedas.
2. Fíjate metas realistas y afronta los grandes problemas paso a paso.
3. Toma tus decisiones con calma y no bajo la presión de fechas límite.
4. Aprende a ser paciente, hablar más lento y escuchar sin distraerte.
5. Cambia tus percepciones sobre alguna situación tensa y mírala en perspectiva.
6. Sé asertivo: di no cuando sea necesario y mantente firme; no permitas que te exploten ni te sobrecarguen de trabajo.
7. Piensa de manera más positiva para elevar tu autoestima y la confianza en ti mismo.
8. Mejora tu capacidad para enfrentar las cosas (la desintoxicación te ayudará muchísimo).
9. Modifica tu conducta.
10. Date un tiempo diario para la relajación, la lectura tranquila, un baño de aromaterapia a la luz de las velas o para sólo cerrar tus ojos y relajarte (véase capítulo 7).

---

### Consejos para detener el avance del estrés

- Deja lo que estés haciendo y di para tus adentros: *Calma*.
- Toma un respiro profundo y déjalo salir en forma lenta.
- Agita tus manos y brazos con fuerza, y luego encoge los hombros.
- Toma una caminata vigorosa para estimular la circulación en tu cerebro.
- Ve a algún lugar privado y gime o grita tan fuerte como puedas.
- Coloca unas cuantas gotas del "remedio de salvación de Bach" debajo de tu lengua.
- Escucha un poco de música de fondo que te ayude a despejarte.
- Practica el ejercicio de "sonrisa interior china" que se expone a continuación.

---

### Sonrisa interior china

La técnica china de la sonrisa interior constituye un ejercicio rápido y refrescante. Sólo toma unos minutos y te brinda una relajación y rejuvenecimiento rápidos que te ayudan a dejar atrás las tensiones.

1. Siéntate cómodamente con tu espalda recta y tus brazos relajados a tus costados.
2. Imagina algo que te haga sonreír.
3. Permítete sonreír en tu interior de manera que sólo tú lo sientas —la sonrisa no debe ser visible para nadie más.
4. Deja que la sonrisa brille por tus ojos y viaje hacia dentro para expandirse por todo tu cuerpo, antes de concentrarse justo debajo de tu ombligo en un área a la que los chinos llaman *tan tien* (la morada de tu esencia constitutiva).

5. Conforme la sonrisa irradia tu interior, nota lo relajado, tranquilo y fresco que te sientes.
6. Una vez que te sientas relajado, aunque vigorizado,
   puedes continuar con lo que hacías, enriquecido
   con sentimientos de calidez, armonía y fuerza interior.

Si regresas a trabajar después de terminar este ejercicio,
asegúrate de encontrar tiempo para tomar recesos frecuentes. Toma un par de minutos cada hora para caminar o estirarte.

## Ejercicios refrescantes de respiración

El estrés puede cambiar tus patrones respiratorios y con-
ducirte a una hiperventilación cuando tus respiros son
rápidos, irregulares y superficiales. Como resultado de
esto, tú inhalas demasiado oxígeno y exhalas demasiado dióxido de carbono, lo cual provoca que tu sangre
sea excesivamente alcalina. Esto produce síntomas de
aturdimiento, debilidad, comezón y picazón (con frecuencia alrededor de la boca) y es capaz de desencadenar un ataque de pánico. Usa los siguientes ejercicios
para refrescar tu respiración en situaciones de estrés:

1. Siéntate cómodamente en tu silla.
2. Suelta y ensancha los hombros al mover los brazos.
3. Expande el pecho y llena tus pulmones tanto como
   puedas.
4. Inhala y exhala tan profundo como puedas y permanece atento a la elevación y caída de tu abdomen más que de tu pecho. Repite esto cinco veces
   sin sostener la respiración.
5. Continúa respirando con regularidad y corrige tu
   ritmo al contar del uno al tres cuando inhales y del
   uno al cuatro cuando exhales.

Utiliza este ejercicio para refrescar tu sentido del control cuando sientas que surge el pánico:

1. Mientras brota el pánico, di para tus adentros: ¡ALTO!
2. Exhala profundo e inhala lento.
3. Sostén esta inhalación, cuenta hasta tres y exhala con suavidad mientras dejas que se vaya la tensión.
4. Continúa respirando con regularidad e imagina que hay una vela frente a tu cara. Mientras respiras, la flama debe temblar pero no apagarse.
5. Continúa respirando suavemente y haz un esfuerzo consciente por relajarte. Deja que tus músculos tensos se relajen y trata de hablar y moverte más lento.

### Ejercicios para aliviar el estrés

Prueba los siguientes ejercicios para refrescarte en forma regular durante el día o como un impulso vigorizante general al final de un largo día.

### Balanceos de los brazos

1. Ponte de pie y toma unos cuantos respiros.
2. Estira ambos brazos hacia delante, a la altura de tus hombros.
3. Deja que tus brazos se relajen, suéltalos a tus costados y deja que se balanceen hasta quedarse quietos. Repite esto varias veces.
4. Por último, eleva los brazos por encima de tus hombros y menéalos con fuerza.

### Sacudimientos de las manos

1. Sacude cada mano y brazo en turnos de uno o dos minutos.
2. Cuando te detengas, sentirás tus músculos suaves y relajados.
3. Repite la operación, y si lo deseas, hazla con tus piernas y pies.

### Relajador del cuello

1. Imagina que cargas algo muy pesado en cada mano de forma que tus hombros parezcan proyectarse hacia el piso.
2. Suelta el peso y siente cómo se libera la tensión. Repite esto varias veces y sentirás tu cuello menos tenso.

### Giros de los hombros

1. Gira tu hombro izquierdo cinco veces hacia atrás. Repite el movimiento cono tu hombro derecho.
2. Gira tu hombro izquierdo cinco veces hacia delante. Repite el movimiento con el hombro derecho.
3. Gira ambos hombros cinco veces hacia delante y cinco veces hacia atrás.

### Sacudimientos de las piernas

1. Equilíbrate sobre una sola pierna. Si es necesario, apóyate en una pared o silla.
2. Sacude la pierna libre varias veces en el aire y gira tus pies desde la articulación del tobillo.
3. Repite el movimiento con la pierna opuesta.

### Aceites refrescantes de aromaterapia

La aromaterapia emplea aceites esenciales aromáticos producidos por glándulas especiales que se encuentran en las hojas, tallos, corteza, flores, raíces o semillas de ciertas plantas. Estos aceites contienen varios ingredientes activos en una forma muy concentrada y potente, los cuales, debido a su volatilidad, se evaporan con rapidez y liberan su poderoso aroma.

Los aceites esenciales son altamente concentrados y, salvo algunas excepciones, siempre deben ser diluidos en un aceite portador (véase adelante) antes de que entren en contacto con la piel.

Cuando menos añade una gota de aceite esencial en cinco mililitros (una cucharadita medicinal) de aceite portador (como los de aguacate, caléndula, semilla de uva, jojoba, girasol o germen de trigo) para hacer una solución al uno por ciento. Para cantidades mayores, las soluciones deben ser las siguientes:

10 gotas de aceite esencial en 100 ml de aceite portador = solución al 0.5 por ciento.

20 gotas de aceite esencial en 100 ml de aceite portador = solución al uno por ciento.

40 gotas de aceite esencial en 100 ml de aceite portador = solución al dos por ciento.

Durante el día, pueden inhalarse aceites de aromaterapia para refrescar tu mente y mejorar la claridad mental durante el proceso de desintoxicación. Es importante usar aceites naturales en lugar de sintéticos y seleccionar aquellos que se hayan producido de manera orgánica. En general, los aceites naturales poseen un aroma más pleno y dulce que brinda un mayor beneficio terapéutico. De igual manera, los aceites esenciales 100 por ciento puros, aunque más caros, son mejores pues no han sido mezclados con alcohol u otros aditivos.

## Aceites para tus estados de ánimo

Para refrescarte, prueba los aceites de pimienta negra, geranio, jengibre, toronja, bálsamo de limón, hierbabuena o sándalo.

Para mejorar la claridad de pensamiento, puedes usar el de albahaca o el de cardamomo.

Para aumentar la concentración, utiliza el de limón.

## Suplementos refrescantes

### Fo-ti (Polygonum multiflorum)

Es una trepadora nativa del centro y sudeste asiáticos, y una de las hierbas tonificantes más antiguas de China. Son famosas sus propiedades rejuvenecedoras y revitalizadoras, y hoy la consumen millones de personas en Asia como tónico general y afrodisiaco. También se le emplea para reducir la canicie prematura.

Dosis: cinco gramos diarios en forma de tableta. (El fo-ti a menudo se toma con ginseng.)

### Jengibre (Zingiber officinale)

La acción del jengibre, calentadora y refrescante a la vez, se describe en la página 83.

### Ginkgo (Ginkgo biloba)

El árbol "Cabello de Venus", del que se deriva el ginkgo, es una de las especies botánicas más antiguas que se conocen y con frecuencia se le describe como fósil viviente. El ginkgo es uno de los suplementos medicinales más populares en Europa y es capaz de mejorar la memoria y la concentración, además de incrementar el flujo periférico de sangre. También resulta útil en casos de estrés por ansiedad, depresión y migraña.

Dosis: 120 mg diarios tomados en cápsulas estandarizadas para contener al menos 24 por ciento de ginkólidos. Los efectos estimulantes duran de tres a seis horas, pero podrían no notarse sino hasta pasados diez días de tratamiento.

### Corazoncillo/Hierba de San Juan (Hypericum perforatum)

Este remedio se ha utilizado durante más de dos mil años para mejorar el bienestar emocional. Es un antidepresivo efectivo y suave que ha ayudado en al menos 67 por ciento de casos estudiados de depresión ligera o moderada. Investigaciones que involucraron a más de cinco mil pacientes muestran que sus efectos comienzan a sentirse dentro de las primeras dos semanas de tratamiento, y que su efecto óptimo se alcanza en un plazo de seis. Además, en el mismo estudio, el 82 por ciento de los pacientes mostró menos irritabilidad, ansiedad, bochornos, sudoración y sueño interrumpido. La reducción del apetito sexual –acompañante típico del estrés y la depresión– se contrarrestó en un 60 por ciento de las personas en los primeros tres meses.

Dosis: 300 mg tres veces al día en extractos estandarizados para contener un 0.3 por ciento de hipericina. Lo mejor es tomarlo con alimentos.

El corazoncillo tiene menos probabilidades de producir efectos secundarios que los antidepresivos convencionales: uno por ciento de los pacientes reportó indigestión, reacciones alérgicas, inquietud y cansancio.

No debe tomarse durante el embarazo o el amamantamiento ni en combinación con otros antidepresivos, excepto bajo supervisión médica. Lo mejor es evitar el alcohol y la exposición directa a la luz solar, sobre todo si eres de piel clara. Si te encuentras bajo medicación, debes consultar a tu doctor antes de usar este remedio.

### Fosfatidilserina

Esta sustancia desempeña un papel importante en la manera en que las células del cerebro se comunican entre sí. Cuando se toma como suplemento, ayuda a mejorar el funcionamiento cerebral y la memoria, sobre todo en las personas mayores de 50 años.

Dosis: Una cápsula o complejo fosfolípido de tabletas de 500 a 1500 mg al día.

## Tiamina

También conocida como vitamina B1, la tiamina es soluble en agua y desempeña un importante papel en el metabolismo y en el funcionamiento de las células nerviosas. Es esencial para la producción de energía a partir de la glucosa y para la salud de las células cerebrales. Tiene un efecto refrescante en el estado de ánimo y te ayuda a sentirte más calmado, afable, despejado, alegre y enérgico. Las personas con niveles bajos de tiamina (que por lo regular sobrepasan los 55 años) tienden a carecer de confianza en sí mismas y con frecuencia sufren de depresión. Los suplementos pueden ayudar a aumentar los sentimientos de bienestar general, combatir la fatiga y estimular el apetito.

Entre las causas comunes de la deficiencia de tiamina se encuentran el consumo de grandes cantidades de café o té (los cuales destruyen la vitamina), el estrés (que agota pronto las reservas de tiamina) y la ingestión excesiva de alcohol (el cual interfiere con el metabolismo de la tiamina).

Dosis: 1.4 mg diarios. Cualquier exceso se elimina rápido en la orina.

# 6
# VIGORIZA

El ejercicio quema hormonas del estrés, mejora tu condición física general, contribuye para que goces de una salud óptima y te ayuda a sentirte vigorizado.

El ejercicio es un suplemento importante en el proceso de desintoxicación, pues promueve la movilización de las toxinas almacenadas en las células de grasa y aumenta su eliminación a través de las glándulas sudoríparas de la piel. En contraste, la falta de ejercicio fomenta un metabolismo perezoso y puede conducir a la congestión venosa, que es la acumulación de líquido en las venas capaz de formar várices o de derramarse sobre los tejidos y causar inflamación en los tobillos, lo cual promueve la acumulación de toxinas.

Mientras sigas una dieta estricta a base de jugos y fruta, haz sólo ejercicios suaves como caminar o andar en bicicleta. Sin embargo, una vez que vuelvas a llevar una dieta sana y equilibrada, procura ejercitarte hasta transpirar lo más posible y durante al menos de quince a 30 minutos cinco veces a la semana. Ingresar en un gimnasio es una de las maneras más populares de ponerte en forma, pues ahí se cuenta con instructores calificados capaces de diseñar programas de acondicionamiento que satisfagan tus necesidades particulares.

## Hazlo tú mismo

Si en verdad deseas desintoxicarte pero no estás seguro de querer ingresar en un gimnasio, puedes comprar varios implementos de ejercicio para usarlos en casa.

Aunque estos pueden parecer caros, cuando los comparas con los costos mensuales de un gimnasio, pueden valer la pena. Elijas lo uno o lo otro, la inversión económica que implican siempre es un gran incentivo para ejercitarte con regularidad.

A continuación se describirán algunas de las formas más populares de ejercicios –y aparatos deportivos– de desintoxicación para hacerse en casa, además de los muchos beneficios que proporcionan en fuerza, resistencia y flexibilidad:

### Símbolos

    \*    = Efecto ligero
   \*\*   = Efecto benéfico
 \*\*\*  = Efecto muy bueno
\*\*\*\* = Efecto excelente

### Cuerdas de velocidad (*Speedropes*)

Muy usadas por los atletas como parte de su régimen de entrenamiento, las cuerdas de velocidad combinan la labor tradicional de los aerobics con una cuerda de saltos especialmente creada para quemar calorías. Aunque resultan muy entretenidas, hacen que muy pronto te percates de tu mala condición física. Constituyen un sencillo ejercicio de desintoxicación que puedes realizar en cualquier lugar.

*Fuerza* \*\* *Resistencia* \*\*\* *Flexibilidad* \*\*

### Subir escalones (*Step Systems*)

Es un video de aerobics de bajo impacto que muestra el uso de una máquina en que te mueves como si subieras o bajaras un escalón bajo. Las mejores máquinas pueden ajustarse a varias alturas sin problemas, pero no la coloques demasiado alta pues esto aumenta el riesgo de sufrir lesiones en la parte inferior de la pierna, sobre todo en el tendón de Aquiles. Las investigaciones muestran que la altura óptima para los aerobics *de escalón* es de quince centímetros.

*Fuerza ** Resistencia *** Flexibilidad ****

## Trampolines (*Bouncers*)

Los trampolines personales son una manera divertida de ejercitarte después de tu programa de desintoxicación, pero resultan aún mejores si se usan en combinación con el libro *Starbound*.[1] Este texto proporciona una buena cantidad de ejercicios para hacerse en trampolín y te permite crear una rutina acorde con tus necesidades individuales.

*Fuerza ** Resistencia *** Flexibilidad ****

## Máquinas *Ab* (*Ab Trainers*)

Las máquinas ejercitantes de los músculos abdominales resultan más efectivas que los ejercicios comunes de crunch abdominal que puedes hacer en un gimnasio. Se trata de un aro acojinado de metal sobre el que te acuestas y te meces hacia delante y hacia atrás. La máquina Ab aísla los músculos abdominales y les proporciona un ejercicio completo, a la vez que sostiene la cabeza y el cuello, y elimina la tensión en la espalda baja. Son magníficos para las personas de edad madura a quienes les ha crecido el "área del michelín" (lonjita o llantita).

*Fuerza **** (Sólo en músculos abdominales) Resistencia *** Flexibilidad ***

---

1  WILBURN, Michele, Starbound Enterprise,

Reino Unido

## Máquinas de remar (*Rowing Machines*)

El remo en máquina es un popular ejercicio casero que proporciona un trabajo aeróbico completo y de bajo impacto. Es excelente para el tono muscular de todo el cuerpo, sobre todo de las piernas y el abdomen. El remo vigoroso gasta tantas calorías como correr a una velocidad de once kilómetros por hora.

*Fuerza ** Resistencia *** Flexibilidad **

## Bicicletas estáticas horizontales (*Recumbent Exercise Bicycles*)

Estas máquinas tienen los pedales altos para ser impulsadas por la fuerza de las piernas, y no por su peso y gravedad, como ocurre con bicicletas más verticales. La posición recostada y el asiento acolchonado alivian tensiones en la espalda baja y evitan los dolores de entrepierna. Un sistema de video incluido en la máquina ofrece toda una variedad de cursos y niveles de esfuerzo.

*Fuerza*** Resistencia **** Flexibilidad ***

## Aparato de corvetas (*Health Riders*)

Son una especie de mezcla entre una bicicleta estática y una máquina de remar y su acción asemeja una corveta de caballo. Los aparatos de corvetas utilizan tu propio peso para crear resistencia, de manera que puedas aumentar tu carga al usar diferentes apoyos para el pie y elevar la punta de la máquina. Aunque ejercitan casi cada músculo del cuerpo, estos aparatos no te dejan adolorido al día siguiente, pues producen poca tensión en los músculos y articulaciones.

*Fuerza **** Resistencia **** Flexibilidad ****

## Simuladores de esquí (*Cross-country Ski Exercisers*)

Como su nombre lo indica, estos simuladores imitan las acciones del esquí a campo traviesa y tienen fama de

ser la forma más eficiente de ejercicio aeróbico. Ejercitan tus brazos y piernas, y queman hasta 35 por ciento más calorías que una rutina de escalones. Brindan un ejercicio excelente y completo con diferentes niveles de resistencia –en terreno plano o de subida. Además, son de bajo impacto y no sacuden las articulaciones.
*Fuerza* **** *Resistencia* **** *Flexibilidad* ****

## Cintas/Bandas de andar (*Treadmills*)

Es una de las mejores maneras de caminar vigorosamente o trotar durante los meses invernales. Una banda de andar es como tu propia pista de carreras que te permite comenzar con una caminata enérgica y subir poco a poco tu velocidad para ajustarse a tu capacidad. Mientras, puedes escuchar música o ver televisión y no tienes que preocuparte por el clima o por tu propia seguridad en la noche.
*Fuerza* ** (caminata vigorosa) ** (trote)
*Resistencia* *** (caminata vigorosa) **** (trote)
*Flexibilidad* * (caminata vigorosa) ** (trote)

## Máquinas elípticas (*Elliptical-cross trainer*)

Se dice que en tan sólo quince minutos, una máquina elíptica te proporciona el ejercicio equivalente a 25 minutos en banda de andar o en bicicleta. Este revolucionario aparato es uno de los artículos más populares en los gimnasios y ya es posible conseguir una versión casera. Lo que hace es sostener tu cuerpo sobre pedales, de manera que corres, caminas, pisas o pedaleas sin tocar el suelo. Como tus pies no golpean el piso mientras corres, es suave con las articulaciones. La resistencia de la parte superior del cuerpo la dan unos sostenes para los brazos que se mueven de manera elíptica, lo cual asegura un ejercicio altamente enérgico para la máxima desintoxicación y quema de calorías. Las máquinas

elípticas proporcionan una actividad glútea 40 por ciento mayor que las cintas de andar comunes y 30 por
ciento mayor que las escaladoras. Tu rutina puede ser
tan rigurosa o moderada como lo desees.
*Fuerza* **** *Resistencia* **** *Flexibilidad* ****

## Suplementos vigorizantes

La desintoxicación tiende a producir un efecto vigorizante, pero hay ocasiones en las que puedes sentir que
necesitas un impulso adicional. Entre los suplementos
que te pueden ayudar se encuentran los ginsengs chino
y americano, la paulinia, la maca, la yerba mate, la jalea
real, el polen de abeja, el propóleo, el complejo vitamínico B, el hierro, el magnesio, la coenzima Q10 y el
NADH.

### Ginseng

El ginseng pertenece a la familia botánica Panax. El *Panax* quinquefolium, llamado comúnmente ginseng chino,
coreano o asiático, es una planta perenne originaria de
los países mencionados, pero en la actualidad es raro
encontrarla en estado silvestre. El ginseng de buena calidad se recolecta durante el otoño de plantas cultiva-
das que cuentan con seis o siete años. El ginseng blanco
se produce mediante la deshidratación aérea de la raíz,
mientras que el ginseng rojo se obtiene al cocer la raíz
al vapor y luego secarla. Al *Panax* quinquefolius, una especie muy cercana que proviene de las tierras boscosas
del Este y Centro de Norteamérica, se le ha dado el nombre de ginseng americano y realiza una acción similar.
Preferido por algunos por su sabor más dulce y su efecto más suave, se cree que posee más yin (capacidad re-
ductora de calor) que el ginseng chino. Se dice que el
ginseng americano es mejor para aliviar la fatiga pro-

ducida por padecimientos nerviosos, ansiedad e insomnio, mientras que el chino o coreano es mejor para combatir la fatiga acompañada de debilidad general y pérdida de energía.

El ginseng se ha empleado en el Oriente como tónico revitalizador, vigorizante y equilibrante durante más de 7 mil años. Pruebas clínicas han confirmado que ayuda al cuerpo a adaptarse al estrés y fatiga físicos y emocionales. Es estimulante y reparador, y mejora la energía física y mental, la resistencia, la fuerza, la atención y la concentración. Además, normaliza los desequilibrios hormonales, impulsa el ritmo metabólico y tiene fama como afrodisíaco.

Dosis: 200 mg diarios para empezar y aumentar poco a poco la dosis hasta los 600 mg. El ginseng americano debe contener al menos cinco por ciento de ginsenósidos, mientras que el coreano debe tener un quince por ciento. En el Oriente, el ginseng se toma en periodos de dos semanas, intercaladas con otras dos de receso. No debe tomarse por más de seis semanas sin un descanso.

Compra sólo el ginseng de la mejor calidad, pues las versiones baratas a veces contienen una cantidad muy pequeña del ingrediente activo.

Nota: No tomes ginseng si sufres de hipertensión, estás embarazada o sufres de algún padecimiento relacionado con el estrógeno como los cánceres de mama, ovarios o útero, pues este suplemento tiene compuestos de estrógeno.

## Paulinia/Guaraná (*Paullinia cupana*)

La paulinia, arbusto brasileño, es quizás la medicina herbaria mejor conocida de los bosques lluviosos. Sus semillas secas contienen un complejo de estimulantes naturales como la guaranina, similar a la cafeína, y las saponinas, parecidas a las que se encuentran en los ginsengs coreano y americano. Los nativos se refieren a la paulinia como al *alimento de los dioses* y utilizan sus semillas secadas al sol para preparar un tónico dulce y vigorizante, similar a la cola.

La guaraná aumenta los niveles de la energía física, mental y sexual, y alivia la fatiga. Es menos susceptible de provocar la irritabilidad, falta de sueño y temblores relacionados con el consumo de cafeína, pues contiene saponinas grasas que amortiguan la acción de la guaranina, lo cual produce un efecto natural de liberación gradual. Aunque es vigorizante, también tiene un efecto calmante que no suele interferir con el sueño o empeorar los síntomas del estrés.

Una investigación realizada en Dinamarca encontró que los voluntarios que tomaron extractos de paulinia durante tres meses tuvieron un aumento significativo en sus niveles de energía y reaccionaron mejor ante el estrés. En Japón, los médicos aconsejan a los operadores de camión que recorren grandes distancias que masquen chicles de paulinia para mantenerse despiertos mientras conducen y, como resultado, el número de accidentes debidos a conductores que se quedan dormidos ha disminuido de manera considerable. La paulinia también parece fortalecer el sistema inmune, adelgazar la sangre, reducir la retención de líquidos, disminuir el apetito y elevar el ritmo metabólico. También alivia las jaquecas por tensión, el síndrome premenstrual y los dolores menstruales.

Durante los programas de desintoxicación, la guaraná se utiliza como sustituto para las personas a quienes les cuesta trabajo reducir su consumo de cafeína. Las personas sensibles a los efectos de la paulinia reaccionan a ella de la misma manera que a la cafeína, de manera que debes usarla con gran moderación hasta que conozcas tus reacciones.

Dosis: Un gramo diario ya sea en forma de cápsulas, elixir a base de vino, barras energéticas, goma de mascar o bebida energética. Una sola dosis proporciona un impulso energético que dura hasta seis horas. Elige productos secados al sol y molidos, pues el tostado convierte más guaranina en cafeína.

Nota: La paulinia es una sustancia restringida en ciertos deportes.

## Maca (*Lepidium meyenii*)

La maca es un vegetal de raíz relacionado con la papa que crece en los Andes peruanos a alturas que sobrepasan los cuatro mil metros. Constituye una buena fuente de carbohidratos, aminoácidos, ácidos grasos, vitaminas B1, B2, B12, C y E, además de minerales como el calcio, el fósforo, el zinc, el magnesio, el cobre y el hierro, lo cual es quizá la razón de que se le haya considerado un alimento básico desde épocas anteriores a la de los incas. Sus tubérculos contienen una serie de hormonas vegetales que elevan la energía y la resistencia. Algunos investigadores creen que la maca es superior al ginseng coreano rojo, y a veces se le nombra ginseng peruano.

Dosis: Un gramo en cápsulas o tabletas de dos a tres veces al día.

## Yerba mate (*Ilex paraguariensis*)

La yerba mate se deriva de un árbol que crece en los bosques lluviosos de Paraguay, y con sus hojas se prepara un té muy rico en nutrientes, sobre todo en vitamina C. Estas hojas también contienen unos alcaloides llamados xantinas, relacionados con los de la cafeína y la paulinia, los cuales aumentan la vigilia y la agudeza mental sin producir los efectos secundarios de nerviosismo o dificultades para dormir. Incluso puede mejorar los patrones de sueño al normalizar la cantidad de tiempo que uno permanece en las etapas de Movimiento

Rápido del Ojo y de sueño profundo (sueño de ondas delta), lo cual proporciona un descanso más pleno y refrescante. De hecho, varias personas han encontrado que necesitan dormir menos de lo usual cuando toman mate.

El mate se emplea sobre todo como un tónico vigorizante para impulsar la vitalidad y superar el agotamiento físico o la fatiga mental, en especial durante periodos de estrés. Estimula las glándulas suprarrenales para que produzcan corticoesteroides, por lo que puede clasificarse como un adaptógeno que ayuda al cuerpo a lidiar con épocas de tensión. Es un popular remedio contra la indigestión y un diurético ligero. Además, alivia el estreñimiento al suavizar las heces duras y estimular los movimientos intestinales. Como ayuda a la eliminación de desperdicios y toxinas por medio de los riñones e intestinos, resulta un agente desintoxicante muy útil.

Los efectos calmantes del mate alivian la ansiedad, mejoran la concentración y reducen el nerviosismo. También funciona como sustituto del alcohol y ayuda a la regeneración del hígado, en especial cuando trata de reducirse el consumo de alcohol.

Durante los programas de desintoxicación, la yerba mate se utiliza como sustituto para las personas a quienes cuesta trabajo reducir su consumo de cafeína o alcohol.

*Dosis:* De dos a tres infusiones diarias.

Nota: Como la yerba mate contiene altas cantidades de taninas, es mejor no consumirla con alimentos pues es capaz de entorpecer la absorción de los nutrientes.

## Jalea real

Conocida también como leche de abeja, la jalea real es una sustancia blanca y lechosa que segregan las glándulas salivales de las abejas obreras. Constituye un alimento altamente concentrado que se da a las larvas de abeja durante sus tres primeros días de vida. Después de esto se les nutre con una dieta de miel, polen y agua excepto a la larva destinada a convertirse en abeja reina. Ella continúa recibiendo jalea real para estimular y mantener su desarrollo. Como resultado, la abeja reina crece 50 por ciento más que otras hembras de abeja con idéntica disposición genética, además de tener un periodo vital casi 40 por ciento más largo.

La jalea real es una rica fuente de aminoácidos y ácidos grasos esenciales, azúcares, esteroles y compuestos de fósforo, así como de acetilcolina –un neurotransmisor requerido para enviar mensajes de una neurona a otra. También es una excelente fuente de vitamina B5 (ácido pantoténico).

Además de ingerirse tradicionalmente como tónico vigorizante para prolongar la juventud y mejorar la calidad de la piel, la jalea real también parece aliviar la ansiedad, la modorra y la mala memoria, y fortalecer el sistema inmune. Y por si fuera poco, goza de una enorme reputación como afrodisiaco. Para preservar sus ingredientes activos durante su almacenamiento, necesita mezclarse con miel o pulverizarse y guardarse en cápsulas.

Dosis: De 50 a 100 mg diarios tomados sin haber ingerido alimentos.

Nota: No tomes jalea real si eres alérgico a los productos de abeja.

## Polen de abeja

El polen de abeja es un polvo muy fino compuesto por células sexuales que se producen en las anteras de las flores masculinas. Las abejas recolectan el polen cuando forrajean el néctar y lo guardan en la colmena como alimento para las abejas jóvenes. El polen de abeja es un alimento nutritivo rico en aminoácios, carbohidratos, ácidos grasos, vitaminas, minerales y micronutrientes. Los antiguos griegos y romanos lo consideraban un alimento vigorizante, de modo que quizá era uno de los ingredientes de la *ambrosía* —el alimento secreto de los dioses que garantizaba la vida eterna. Al igual que varios productos vigorizantes, el polen de abeja goza de una amplia reputación como afrodisiaco.

*Dosis:* De 250 mg a dos gramos diarios durante un mes como mínimo.

*Nota:* No lo tomes si eres alérgico a los productos de abeja o al polen.

## Propóleo

Este antiséptico natural de abeja se segrega para mantener la higiene en la colmena. Contiene antioxidantes y es una rica fuente del complejo vitamínico B, lo cual puede explicar su reputación como suplemento estimulador de la energía. También se toma para reforzar la inmunidad, sobre todo durante el invierno. Alrededor del uno por ciento de la gente que lo toma desarrolla una ligera reacción alérgica en la piel, por lo que es mejor comenzar con una dosis pequeña para ver cómo respondes.

*Dosis:* De 250 a 500 mg diarios en forma de tabletas o cápsulas.

## Complejo vitamínico B

Las vitaminas B1, B2, B3, B5, B6 y B12, además del ácido fólico, intervienen en una amplia variedad de reacciones metabólicas que se requieren para producir energía en el cuerpo.

La vitamina B1, también conocida como tiamina, es esencial para la producción de energía a partir del azúcar de la sangre (glucosa) y para la producción de algunos aminoácidos.

La vitamina B2 (riboflavina) desempeña un importante papel en el metabolismo de las proteínas, las grasas y los carbohidratos para producir energía y, como no puede almacenarse en el cuerpo, debe obtenerse en forma regular de los alimentos.

La vitamina B3 (niacina) cumple con una función significativa en el funcionamiento de las enzimas y en el metabolismo, y resulta esencial para liberar la energía de las reservas de azúcar en los músculos (glucógeno) así como para la toma y la utilización del oxígeno en las células. Como la niacina es importante para el procesamiento de los ácidos grasos liberados de las reservas corporales de grasa, se lo emplea en medicina para reducir niveles anormales de colesterol y triglicéridos. También se combina con el cromo mineral para formar el factor de tolerancia a la glucosa del cuerpo. Éste es esencial para la acción de la insulina, la cual controla el modo en que la glucosa es llevada a las células corporales.

La vitamina B5 (ácido pantoténico) es vital para varias reacciones metabólicas generadoras de energía que involucran carbohidratos, grasas y proteínas. Se lo necesita para la fabricación de glucosa y ácidos grasos en el hígado, los cuales son combustibles importantes para las células musculares. Por lo tanto, se cree que esta vitamina estimula las reservas de energía y mejora el desempeño atlético. También cumple con una función en la producción de hormonas de las glándulas suprarrenales en periodos de estrés y en la conservación de un sistema nervioso sano. Además, se ha sugerido que los suplementos de vitamina B5 pueden resultar útiles durante la desintoxicación. Al asegurar que los ácidos grasos que se liberan de las reservas corporales de grasa sean procesados por completo, es capaz de reducir la formación de quetones (véase p. 42), lo cual hace disminuir los dolores y la debilidad causados por el hambre.

La vitamina Bb6 (piridoxina) es indispensable para el buen funcionamiento de cerca de 60 enzimas. Es necesaria para la síntesis de material genético, aminoácidos y proteínas, así como para el metabolismo de las reservas corporales de carbohidratos (glucógeno) y de los ácidos grasos esenciales. Investigaciones recientes han hallado evidencias de que las personas con síndrome de fatiga crónica carecen de ciertas vitaminas del complejo B. Por tal motivo, los suplementos vigorizantes del complejo B podrían ayudar a superar el cansancio permanente.

*Dosis:* De 50 a 100 mg diarios de complejo vitamínico B en dosis repartidas.

## Hierro

El hierro es un mineral esencial al que encontramos en dos formas principales: la ferrosa y la férrica. La forma ferrosa es la que absorbe el cuerpo y la utiliza para la producción de hemoglobina, el pigmento rojo que lleva el oxígeno y el dióxido de carbono a todo el cuerpo. El hierro también se encuentra en una proteína llamada mioglobina, la cual adhiere el oxígeno a las células musculares para disponer de él con facilidad durante el ejercicio. La falta de hierro conduce a la anemia y la fatiga.

El funcionamiento óptimo de muchos sistemas de enzimas, incluidas las que intervienen en la producción de energía a partir de carbohidratos, grasas y proteínas, depende del hierro.

Los suplementos de hierro suministrados solos pueden reducir la absorción del zinc y de otros minerales esenciales como el manganeso, el cromo y el selenio. Por ello, el hierro suele combinarse con otros minerales y micronutrientes.

El consumo de vitamina C en combinación con alimentos o suplementos ricos en hierro promueve la absorción de éste al conservarlo en su forma ferrosa.

Dosis: Un máximo de quince mg diarios, a menos que se
te haya diagnosticado una deficiencia de hierro. Además de resultar tóxico, el exceso de hierro puede
provocar estreñimiento o indigestión.

## Magnesio

Este metal se encarga del funcionamiento de más de
300 enzimas y es indispensable para todas las reacciones metabólicas importantes del cuerpo, desde las síntesis de proteínas, ácidos grasos esenciales y material
genético hasta la producción de energía a partir de la
glucosa. Pocas enzimas pueden funcionar sin el magnesio y su carencia conduce a la muerte celular por
agotamiento de las reservas energéticas. Los niveles de
magnesio pueden decrecer con la edad, y la falta de este
mineral puede contribuir con el envejecimiento prematuro al reducir la eficacia de las reacciones metabólicas y de las enzimas.

Dosis: 300 mg diarios incluidos en tabletas y cápsulas
vitamínicas y minerales.

## Coenzima Q10

También conocida como ubiquinona o CoQ10, la coenzima Q10 es un compuesto similar a las vitaminas que
mejora los niveles de energía y la resistencia física, fortalece la acción de bombeo del corazón y actúa como
antioxidante. Las células la necesitan para procesar el
oxígeno y generar moléculas ricas en energía. La coenzima Q10 se produce en el hígado (a partir del aminoácido llamado fenilalanina) y se encuentra en casi todos
los tipos de alimentos, sobre todo en carne, pescado,
granos integrales, nueces y verduras. Sin embargo, los
niveles corporales de CoQ10 comienzan a disminuir
en las personas que sobrepasan los 20 años, pues los
intestinos absorben las fuentes alimenticias con menor
eficiencia y decrece su producción en el hígado. Los

niveles bajos de esta coenzima impiden que las células reciban toda la energía que necesitan, de manera que no funcionan del todo bien y tienen mayores posibilidades de enfermar, o incluso, morir. La ubiquinona ayuda al proceso de desintoxicación, pues reduce el riesgo de infección e inflamación de las encías. Resulta particularmente útil para las personas mayores de 40 años que sufren de fatiga. Para obtener su máximo beneficio, debe tomarse junto con las cantidades adecuadas de vitamina B y C.

Dosis: De 30 a 90 mg diarios. Algunos investigadores recomiendan dosis de hasta 180 mg para uso general. Suelen pasar entre tres semanas y tres meses para que se perciba el incremento en los niveles de energía.

### NADH

Es una sustancia que participa en la producción de energía en las células. Aunque algunas personas la han encontrado útil para aliviar la fatiga y mejorar la concentración, aún existe muy poca experiencia en su uso.

### Aceites vigorizantes de aromaterapia

Los aceites esenciales de albahaca, pimienta negra, eucalipto, geranio, hierbabuena y romero, se emplean en aromaterapia por sus cualidades vivificantes y vigorizantes. Utilízalos para aromatizar una habitación o coloca unas cuantas gotas en un pañuelo e inhálalo en intervalos regulares.

# 7
# RELÁJATE

Es importante equilibrar el ejercicio con periodos de relajación; sin embargo, si llevas una vida ocupada y estresante, podría resultarte difícil aprender el arte del descanso. La relajación constituye una parte importante del proceso de desintoxicación y tiene efectos benéficos en la mente y el espíritu, así como en el cuerpo físico. Si combinas unos cuantos ejercicios de relajación con un baño de aromaterapia a la luz de las velas, ayudarás a tranquilizar tu día y a encaminarlo hacia una noche de sueño reparador. Existe una serie de terapias complementarias que tienen como objetivo primordial el descanso y la meditación. También puedes hacer uso de una variedad de hierbas tranquilizantes cuando tu mente y tu cuerpo necesiten de ayuda adicional.

## Relajación profunda

El siguiente ejercicio de relajación te tomará al menos media hora y sirve para aliviar la tensión en diferentes grupos musculares. Resulta especialmente benéfico después de sumergirte en un baño tibio de aromaterapia.

1. Busca un lugar tibio y tranquilo para acostarte. Quítate los zapatos y ponte ropa holgada y ligera. Cierra los ojos y mantenlos así durante toda la sesión.
2. Levanta tus antebrazos flexionándolos desde el codo. Cierra los puños y concéntrate en la tensión de estos músculos.

3. Inhala lento y profundo. Conforme exhalas, comienza a relajarte y deja que se disipe la tensión en tus brazos. Relaja tus puños, baja tus brazos con suavidad y deja que reposen a tus costados. Siente cómo sale de ellos la tensión hasta que los dedos comiencen a hormiguearte. Podrías llegar a sentir como si esos brazos no fueran los tuyos. Mantén tu respiración suave y lenta.

4. Ahora tensa tus hombros y cuello al contraer los hombros lo más que puedas. Siente la tensión en tu cabeza, hombros, cuello y pecho. Mantente así por un momento. Entonces, deja que la tensión te abandone poco a poco, y respira suave y lento mientras lo haces.

5. Ahora levanta tu cabeza y échala hacia delante. Siente la tensión en tu cuello. Aprieta todos tus músculos faciales. Aprieta los dientes y ojos, y frunce el ceño. Siente la tensión en tu cara, la rigidez en tu piel y mandíbulas, y las arrugas en tu frente. Mantén esta tensión por unos cuantos segundos y, entonces, comienza a relajarla. Déjala ir en forma gradual y concéntrate en cada grupo de músculos conforme se distienden. Conforme liberas la tensión, se expandirá por toda tu cabeza una sensación de calor. Sentirás la cabeza pesada y muy relajada.

6. Ahora realiza el mismo trabajo con los músculos de tu espalda (en caso de que no tengas problemas de espalda). Impulsa tus hombros y cabeza hacia atrás y arquea tu espalda hacia arriba. Mantente así por unos momentos antes de dejar que tu peso caiga cómodamente mientras te relajas.

7. Contrae tu abdomen tan fuerte como puedas. Entonces, conforme exhalas, libera poco a poco la tensión y siente como se disipa. Ahora, tensa tu estómago hacia fuera como si te protegieras contra un golpe. Mantén esta tensión por unos momentos y relájala con lentitud.

8. Asegúrate de que la tensión no haya vuelto a las partes del cuerpo que relajaste. La parte superior de tu cuerpo debe sentirse pesada, tranquila y relajada.

9. Ahora, concéntrate en tus piernas. Impulsa hacia ti los dedos de tus pies y siente la rigidez en la parte frontal de tus piernas. A continuación, aleja de ti los dedos de tus pies y siente cómo sube la rigidez por tus piernas. Mantén esta posición por unos momentos y luego levanta tus piernas, ya sean juntas o una a la vez. Mantente así por unos segundos y baja tus piernas hasta que estén en reposo.

10. Relaja tus muslos, nalgas, pantorrillas y pies. Deja que caigan con su propio peso y se relajen. Siente cómo desciende la tensión por tus piernas y sale por los dedos de tus pies. Percibe el peso y la relajación en tus piernas. Quizá sientas hormigueo en los dedos de tus pies.

11. Para este momento debes sentir todo tu cuerpo muy pesado y relajado. Respira lento y calmado, y siente como se va la tensión.

12. Ahora imagina que estás acostado en una cálida playa tropical y que las olas llegan con suavidad a la orilla. Relájate durante al menos 20 minutos y revisa de vez en cuando si hay tensión en tu cuerpo. Concluye la sesión cuando lo creas oportuno.

## Sueño

Una buena noche de sueño es vital para la salud. Cuando te despiertas y te sientes fresco, estás listo para enfrentar todo lo que se atraviese en tu camino. Sin embargo, cuando el sueño no es reparador, podría arruinar todo tu día. Los siguientes consejos te ayudarán a disfrutar de una buena noche de sueño:

- Ejercítate de manera regular, pero no por la noche pues podrías tener problemas para dormir.

- Cuando sigas un programa de desintoxicación, trata de acostarte más temprano de lo normal para darle a tu cuerpo descanso adicional.
- Date un tiempo antes de dormir para despejarte de las tensiones del día: lee un libro, escucha música relajante o toma un baño tibio de aromaterapia.
- Hazte el hábito de acostarte a la misma hora todas las noches y de levantarte a la misma hora todas las mañanas.
- Asegúrate de que tu cama sea cómoda y de que tu cuarto sea tibio, oscuro y silencioso.
- Rocía unas cuantas gotas de aceites esenciales somníferos en un pañuelo y colócalo debajo de tu almohada.

---

### Aceites esenciales relajantes

- Bergamota
- Manzanilla
- Salvia silvestre
- Enebrina
- Mandarina
- Nerolí
- Naranja
- Rosa
- Vainilla
- Ylang-ylang

- Benjuí
- Madera de cedro
- Salvia silvestre
- Jazmín
- Lavanda
- Mejorana
- Nuez moscada
- Petrigrain
- Sándalo
- Vetiver

---

- Si no puedes dormir, trata de practicar la secuencia de ejercicios de relajación de la p.157 hasta que sientas como si todo tu cuerpo se fusionara con la cama.

## Suplementos herbarios relajantes

Existen diversos suplementos herbarios con una acción sedante natural que promueven un sueño reparador sin efectos secundarios. Estos incluyen el lúpulo, el bálsamo de limón, avena, pasionaria y valeriana.

Nota: No consumas suplementos que contengan estas hierbas si tomas pastillas para dormir bajo prescripción médica, sufres de depresión marcada o te encuentras embarazada o en amamantamiento. Estos pueden producir una ligera somnolencia capaz de afectar tu capacidad para conducir o para manejar maquinaria.

### Lúpulo (*Humulus lupulus*)

El lúpulo tiene un poderoso efecto relajante del sistema nervioso central y se le usa de manera común para aliviar la tensión y la ansiedad, así como para combatir el insomnio. También se le emplea para aliviar la inquietud, jaqueca e indigestión, las cuales pueden ser señales de que necesitas desintoxicarte. El lúpulo suele combinarse con la valeriana y el bálsamo de limón para promover un sueño reparador.

Dosis: De 300 a 400 mg de extractos de hierba en forma de tableta o cápsula.

### Bálsamo de limón

Utilizado desde la Antigüedad como una hierba curativa y relajante, el bálsamo de limón suele combinarse con la valeriana para reducir el estrés e inducir el sueño.

Dosis: De 300 a 600 mg diarios.

Nota: No utilices el bálsamo de limón si ya tomas pastillas para dormir bajo prescripción médica o te encuentras embarazada o en amamantamiento. Uno de los efectos secundarios es la somnolencia, la cual puede afectar tu capacidad para conducir o para manejar maquinaria.

### Avena (*Avena sativa*)

Los extractos de la planta joven y entera o agraz, también conocida como paja de avena o avena silvestre, se utilizan de manera muy amplia como tónico tranquilizador de los nervios. La paja de avena tiene un efecto calmante y se le emplea para reducir las ansias al dejar de fumar.

Dosis: Una gota de extracto líquido o tintura dos o tres veces al día.

Nota: Las personas que padecen la enfermedad celiaca (alergia al gluten) deben dejar que se asiente la tintura y decantar el líquido claro para su uso.

### Pasionaria (*Passiflora incarnata*)

La acción sedante y analgésica de esta planta reduce el estrés y promueve un sueño natural y reparador. La pasiflora se usa para tratar el insomnio, la ansiedad, el estrés y el nerviosismo, y a menudo se le incluye en las mezclas de tés de hierbas para tomarse antes de dormir.

Dosis: De 150 a 300 mg diarios.

### Valeriana (*Valeriana officinalis*)

Es una de las hierbas más calmantes que se pueden conseguir. Ayuda a reducir los sentimientos de estrés, ansiedad y tensión, y a inducir la relajación y el sueño. También es útil para superar la depresión ligera. No la utilices si ya tomas pastillas para dormir bajo prescripción médica.

Dosis: De 200 a 300 mg diarios. Por lo regular, las hojas se encuentran mezcladas con otras hierbas.

## Terapias complementarias relajantes

Existen diversas terapias complementarias para inducir la relajación. Éstas incluyen el entrenamiento autógeno, la flotación, el masaje, la meditación, el qigong, el tai chi chu'uan y el yoga.

### Entrenamiento autógeno

El entrenamiento autógeno es una técnica de relajación que utiliza la concentración pasiva –cuando vacías tu mente y no escuchas nada– y otros ejercicios mentales para reducir el estrés y recuperar el equilibrio físico. Una vez aprendidas, estas técnicas pueden usarse para obtener una calma y relajación casi instantáneas. Los ejercicios consisten en sentir peso y calor en diferentes partes del cuerpo, y luego concentrarse en los ritmos cardiaco y respiratorio.

### Terapia de flotación

Como su nombre sugiere, la terapia de flotación implica acostarse en un tanque a prueba de luz y sonido que contiene una alberca poco profunda con agua salada que se mantiene a la temperatura corporal. El tanque de flotación elimina la luz y el sonido para alejar todo estímulo externo. Esto permite que la persona que flota entre en un estado de relajación profunda en el que el cerebro genera ondas theta, las cuales están asociadas con la meditación, el pensamiento creativo y los sentimientos de serenidad. Hay estudios que muestran que el cerebro continúa produciendo grandes cantidades de ondas theta hasta por tres semanas después de una flotación.

Un beneficio adicional de la flotación es que reduce la secreción de hormonas diuréticas durante la desintoxicación. Esto significa que se pierde cualquier líquido retenido por causa de los elevados niveles de orina que se expelen poco después de una flotación. Tú puedes obtener una relajación profunda similar en tu propia bañera al usar sales minerales del Mar Muerto (disponibles en tiendas naturistas y farmacias grandes).

## Masaje

El masaje forma la base de muchas terapias complementarias como la acupresión, la aromaterapia y el *shiatsu*. Estimula los tejidos suaves del cuerpo y ayuda a la desintoxicación al fomentar la eliminación de toxinas. El masaje también es relajante y puede reducir la ansiedad, tensión, molestias y dolores, además de aliviar la depresión ligera y mejorar el sueño.

## Meditación

La meditación utiliza el poder de la mente para vaciarla de pensamientos, calmar el cuerpo y lograr un estado de conciencia mental o espiritual elevada. Al enfocar tu mente en un objeto o visión particular, eres capaz de eliminar las distracciones e inducir un estado de relajación y serenidad profundas. Existen diversos tipos de meditación, cada uno de los cuales favorece a una técnica diferente. Esto puede implicar que te enfoques en tu ritmo respiratorio, en algún sonido universal –como el célebre *om*–, en una palabra o frase con significado personal (*mantra*), en algún objeto físico como una vela parpadeante, o en una imagen. Algunas técnicas como el *tai chi chu'uan* utilizan movimientos repetitivos, mientras que otras pueden pedirte que sientas objetos como piedrecillas o cuentas (de rosario).

La meditación trascendental fue desarrollada para encajar dentro del modo de vida moderno y ocupado. Se practica en dos sesiones diarias de quince a 20 minutos cada una. Este tipo de meditación utiliza una variedad de mantras en sánscrito que se repiten en silencio para apaciguar los pensamientos y encontrar un nivel más profundo de conciencia. Esto te ayuda a alcanzar una relajación profunda, a la vez que te mantiene en un estado de completa atención. La meditación trascendental refresca tu cuerpo y te da una mente más calmada, capaz de pensar con mayor claridad.

### Qi gong

El quigong y su terapia médica asociada, el buqui, son variedades del yoga chino que combinan la meditación y la postura para alcanzar la relajación y el control de la respiración. El quigong también ayuda a encauzar la energía y a tranquilizar la mente. Sus posturas básicas son fáciles de aprender y, a diferencia de las del tai chi, pueden realizarse en cualquier orden.

### Tai chi chu'uan

Esta terapia, mejor conocida sólo como Tai chi, suele ser descrita como una "meditación en movimiento". Combina movimientos suaves y estilizados con meditación y técnicas respiratorias para calmar la mente y mejorar el fluir de la energía de la fuerza vital o qi.

La versión corta del Tai chi utiliza 24 movimientos lentos y posturas que pasan sin esfuerzo de unos a otros y que pueden realizarse en un lapso de entre cinco y diez minutos. La versión larga consta de 108 movimientos, los cuales pueden ejecutarse en un periodo de entre 20 y 40 minutos.

### Yoga

Aunque existen muchos tipos de yoga, todos ellos combinan ejercicios posturales, técnicas respiratorias y meditación para alcanzar la relajación. De hecho, al control de la respiración se le considera lo más importante, pues éste incorpora la fuerza vital, o *prana*, para ayudar a lograr la armonía mental y emocional. Todo esto tiene una particular importancia durante la desintoxicación.

# 8
# COMPLÁCETE

La desintoxicación debe ser un proceso placentero. Regálate un gusto diario con un masaje, una terapia facial, una hora de lectura o un relajante baño de aromaterapia. Incluso poner sábanas limpias y recién planchadas en tu cama después de un baño tranquilizante puede ser un motivo para gozar. Existe toda una serie de terapias de desintoxicación como las terapias faciales, la hidroterapia, los tratamientos de vapor, los saunas, los baños con sales minerales del Mar Muerto y los masajes de aromaterapia a los que puede considerarse como placeres.

Si puedes tomarte unos días para salir de viaje al final de tu programa de desintoxicación, tanto mejor. Podrías tener un fin de semana romántico con tu pareja, o visitar un *spa* o granja de la salud para continuar con tus tratamientos de desintoxicación y consumir alimentos ultrasaludables.

---

## Placeres instantáneos

- Sumerge tus pies en un balde con agua tibia al que hayas añadido un puño de sales minerales del Mar Muerto y unas cuantas gotas de tu aceite de aromaterapia o perfume favorito.
- Coloca un acondicionador fino y penetrante en tu cabello, cúbrelo con plástico para envolver y deja que se absorba mientras te sumerges en la bañera.
- Compra un disco compacto de cantos de pájaros y acuéstate en tu cama mientras escuchas los sonidos de la naturaleza.
- Métete en tu cama una hora antes de lo usual y déjate atrapar por alguna lectura.

> • Exfolia tu cuerpo de las células de piel muerta y de las toxinas que contienen. Puedes hacer esto en la bañera con sólo frotar tu piel con un puño de avena, de sales minerales del Mar Muerto o de sales de Epsom, un estropajo natural o un paño de fibra de agave.
> • Después de bañarte y exfoliarte, aplícate una loción fina para el cuerpo –de preferencia, una que sea natural, orgánica y lo menos tóxica posible.

## A sudar

Las terapias que promueven la transpiración ayudan a eliminar las toxinas del cuerpo y proporcionan un efecto profundo de limpieza y estimulación. Durante la desintoxicación, trata de sudar entre quince y 30 minutos varias veces a la semana –o diario, si te es posible– por medio del ejercicio y de la aplicación de calor y vapor.

### Tratamientos con sales minerales del Mar Muerto

Desde los tiempos de Cleopatra, las ricas sales minerales y el lodo provenientes del mar que se encuentra entre Israel y Jordania han gozado de renombre debido a sus propiedades embellecedoras, curativas y desintoxicantes. Con una altura de 400 metros bajo el nivel del mar, el Mar Muerto es el sitio más bajo de la Tierra. Durante miles de años, el agua de lluvia ha descendido por las rocas y tierras del Valle del Jordán para depositar sedimentos ricos en minerales como el cloro, magnesio, sodio, calcio, yodo y potasio, además de compuestos de bromo, azufre y carbono. Una vez filtrado, limpio y esterilizado, el lodo –con su aspecto negro y brillante, su textura aterciopelada y su ligero olor a azufre– proporciona varios beneficios terapéuticos.

Las sales minerales y el lodo del Mar Muerto tienen un efecto equilibrante en las células de la piel, normalizan la renovación celular y promueven la eliminación de toxinas. Constituyen tratamientos muy efectivos para desórdenes cutáneos como el eczema y la psoriasis. Durante el tratamiento, uno siente la piel estimulada, firme y vigorizada. Se expelen aceites, mugre y sudor a través de los poros, lo cual permite tener una piel radiante, suave, tersa y más elástica.

El lodo mineral crudo no debe ponerse sobre la cara. Para ello existen máscaras de lodo más suaves con fórmulas creadas especialmente para el uso facial.

Los tratamientos de cobertura en lodo mineral tibio pueden ayudar a reducir la retención de líquidos al estimular la circulación. Producen una sudoración ligera, dilatan los vasos sanguíneos y tienen un efecto diurético natural en los riñones. Además, se piensa que el efecto osmótico del lodo extrae el exceso de líquido en los tejidos.

## Terapias faciales

Aunque una terapia facial aplicada por ti mismo puede hacer que te sientas limpio, fresco y relajado, un tratamiento profesional no es de despreciarse. Éste ofrece un análisis cutáneo, la vaporización y limpieza profunda de los poros para extraer barros y espinillas, un masaje, una mascarilla o cepillado de exfoliación y una rehidratación. Si tu bolsillo te lo permite, puedes gozar de un tratamiento facial una vez por semana –con diferentes técnicas y productos– durante la desintoxicación, y luego asistir a algún programa mensual de tratamientos faciales de mantenimiento y emplear el método que más te haya gustado. Los tratamientos faciales que incluyen un masaje de drenaje linfático resultan especialmente útiles durante la desintoxicación.

## Hidroterapia

El poder curativo del agua se aprovecha en el tratamiento conocido como hidroterapia. Dicho tratamiento se administra en forma de baño, pero éste puede tomarse en aceites esenciales, aguas de spa, algas marinas o sus extractos, lodos minerales, hierbas, turba y agua de mar. La temperatura desempeña un papel importante en la hidroterapia. Los baños fríos son refrescantes y estimulantes, mientras que los tibios proporcionan relajación; el agua caliente abre los poros y promueve la eliminación de toxinas mediante la sudoración. Durante la desintoxicación deben evitarse los baños calientes debido a que dilatan los vasos sanguíneos en la piel y pueden producir sensaciones de debilidad.

Aunque es fácil disfrutar de la hidroterapia en casa, es posible que necesites modificar tu bañera o tu regadera. Algunos cambios simples como iluminar el baño con velas o perfumar el aire con un sensual aceite de aromaterapia pueden otorgar toda una nueva dimensión a tu hora de baño.

Haz una prueba al añadir un saquito de 250 gramos de sales minerales del Mar Muerto a tu bañera tibia y acostarte en esas aguas relajantes durante veinte minutos. (Nota: Evita el contacto con los ojos y cubre cortaduras o raspones con jalea de petróleo para evitar el ardor.) Envuélvete en una toalla tibia y acuéstate en una cama dentro de una habitación cálida para tener una experiencia de relajación profunda.

Otra opción es diluir aceite de nerolí u otro producto relajante de baño en agua tibia y relajarte durante quince minutos. Procura tener varias mezclas en casa para que puedas elegir una que se adecue a cualquier estado de ánimo particular.

## Saunas

Durante una desintoxicación completa es mejor evitar los saunas demasiado calientes. Éstos dilatan todos los vasos sanguíneos de la piel y pueden producir aturdimiento. Es mejor disfrutar de los saunas al final de un programa de desintoxicación, cuando te encuentres en la fase de mantenimiento en que comes bien y sigues un estilo de vida saludable. Cuando te sientes en un sauna, no olvides beber suficiente agua.

## Tratamiento de vapor

Los tratamientos de vapor pueden aplicarse en la cara o en el cuerpo entero. Para obtener mejores resultados, utiliza las cabinas de vapor colectivas que puedes encontrar en gimnasios o salones de belleza, las cuales están perfumadas con aceites relajantes de aromaterapia. Hay muchas toxinas almacenadas en los tejidos adiposos de justo debajo de la piel, y los cuartos de vapor ayudan a moverlos y eliminarlos a través de la piel al promover la sudoración. Siéntate en el cálido capullo, cierra los ojos y medita, mientras imaginas cómo todas las toxinas se filtran por tus poros y desaparecen.

## Masaje de aromaterapia

El masaje es una forma placentera de ayudar a liberar las toxinas de los tejidos adiposos de debajo de la piel, relajar los músculos tensos y aliviar el estrés. Es fácil que tú y tu pareja aprendan a darse masaje mutuo, y así, añadirán una nueva dimensión a su experiencia de desintoxicación.

Da un masaje a tu pareja durante 30 minutos; luego, relájate mientras él o ella te lo hace a ti. Éstos son los secretos del éxito:

1. Asegúrate de que la habitación esté tibia y que cuente con luz suave y música de fondo lenta y relajante.
2. Elige una superficie firme para trabajar: si utilizas el piso, primero extiende varias toallas sobre él.
3. Calienta aceite o loción para masaje al colocar la botella en un cazo con agua caliente. Otra opción es frotar un poco de aceite en tus manos para que lo calientes antes de usarlo.
4. Pide a tu pareja que se acueste boca abajo y cúbrela con una toalla de baño grande. Descubre el área sobre la que vas a trabajar y vuelve a cubrirla antes de proseguir con la siguiente.
5. Comienza con frotamientos largos, fluidos y simples que sigan los contornos del cuerpo para calentar la piel. A continuación, varía la presión y la longitud de tus frotes, conserva tus movimientos fluidos y rítmicos, y mantén siempre alguna mano en contacto con el cuerpo. Trata de alternar movimientos firmes con otros muy ligeros. Si encuentras algún músculo abultado o tenso, concéntrate en esa área y trabájala con movimientos de amasamiento suaves. Cuando termines de masajear la espalda, pide a tu pareja que se voltee para que puedas ocuparte del frente.
6. Da un masaje separado a cada brazo y cada pierna mientras mantienes el resto del cuerpo cubierto con toallas tibias. En general, haz que los movimientos de tus manos froten en dirección al corazón. Para concluir la sesión, sostén los pies por unos cuantos segundos. Esto ayuda a que el cuerpo vuelva a la tierra.

| Aceite * | Purifica-dor | Equili-brante | Refres-cante | Vigori-zante | Rela-jante |
|---|---|---|---|---|---|
| Albahaca | * | * | * | | |
| Angélica | | * | | | |
| Árbol de té | * | * | | | |
| Benjuí | * | * | | | |
| Bergamota | * | * | | | * |
| Cardamo-mo | | | * | | |
| Cilantro | | * | * | | |
| Enebrina | * | | | | |
| Eucalipto | * | * | | * | |
| Geranio | * | * | | * | |
| Hierbabue-na | * | | * | * | |
| Hinojo | * | * | | | |
| Jazmín | | * | | | * |
| Jengibre | | * | | | |
| Lavanda | * | | | | |
| Limón | * | * | * | | * |
| Madera de cedro | * | | | | |
| Manzanilla | * | * | | | * |
| Mejorana | * | | | | * |
| Naranja | | * | * | | * |
| Nerolí | * | * | | | * |
| Nuez moscada | | | | | * |
| Pachulí | | * | | | * |

| Aceite * | Purifica-dor | Equili-brante | Refres-cante | Vigori-zante | Rela-jante |
|---|---|---|---|---|---|
| Palo de rosa | | * | * | | |
| Petigrain | | * | | | |
| Pimienta negra | | | * | * | |
| Pino | * | | | | |
| Romero | * | | * | * | |
| Rosa | * | | | | |
| Salvia silvestre | | * | | | * |
| Sándalo | * | | * | | * |
| Toronja | | * | * | | |
| Vainilla | | * | | | * |
| Vetiver | | * | | | * |
| Ylang-ylang | | * | | | * |

# 9
# GOZA

Uno de los efectos secundarios de un modo de vida tóxico es la pérdida del apetito sexual. Éste puede ser el resultado de un número de factores como estrés, mala alimentación, falta de sueño, mala condición física y abuso en el consumo de alcohol. Algunas condiciones físicas también pueden influir en la falta de libido. Estas incluyen el embarazo, menopausia, histerectomía, problemas de próstata y atrofia testicular.

Tras seguir un programa de desintoxicación, es posible que notes un mejoramiento en tus impulsos sexuales. Éstos pueden mejorarse aún más con ciertos suplementos herbarios que poseen una acción afrodisiaca natural como el ginseng chino y el paratodo (véase p. 112). Sin embargo, si tu apetito sexual requiere de un impulso adicional, los aceites esenciales y remedios herbarios que se expondrán en breve pueden ser los indicados para ti.

Recuerda que los aceites esenciales siempre deben diluirse en un aceite portador como el de almendra, jojoba o germen de trigo antes de aplicarse sobre la piel o añadirse al agua de la bañera. Agrega un máximo de dos gotas de aceite esencial por cada cinco ml (60 gotas) de aceite portador.

Cuando elaboras una mezcla, elige los aceites cuyos aromas te agraden a ti y –de preferencia– a tu pareja. Experimenta hasta encontrar un aroma que te guste y se adecue a tu estado de ánimo. Toma nota del número total de gotas que usaste para asegurarte de que esté diluido en la proporción correcta de aceite portador. Cada cinco gotas de aceite esencial deben equilibrarse, *grosso modo*, con diez ml (120 gotas) de aceite portador.

> Las siguientes combinaciones son bastante populares. Sin embargo, la proporción en que se mezclan depende de tu gusto personal.
>
> - Pimienta negra e ylang-ylang.
> - Benjuí, rosa y vainilla.
> - Lavanda, geranio e ylang-ylang.
> - Rosa, limón y vainilla.
> - Pimienta negra, geranio, sándalo e ylang-ylang.
> - Jazmín, nerolí y naranja.

## Aceites esenciales afrodisiacos

| Aceite esencial * | Para un bajo apetito sexual relacionado con el cansancio físico y mental | Para un bajo apetito sexual relacionado con el estrés, el exceso de trabajo o el insomnio |
|---|:---:|:---:|
| Angélica | * | |
| Benjuí | * | * |
| Bergamota | | * |
| Cilantro | | * |
| Enebrina | | * |
| Geranio | | * |
| Hierbabuena | * | |
| Hinojo | | * |
| Jazmín | | * |
| Lavanda | | * |
| Limón | * | |
| Naranja | | * |
| Nerolí | | * |

| Aceite esencial * | Para un bajo apetito sexual relacionado con el cansancio físico y mental | Para un bajo apetito sexual relacionado con el estrés, el exceso de trabajo o el insomnio |
|---|---|---|
| Pachulí | | * |
| Palo de rosa | * | * |
| Pimienta negra | * | |
| Pino | * | |
| Romero | * | |
| Rosa | | * |
| Salvia silvestre | | * |
| Sándalo | * | * |
| Toronja | | * |
| Vainilla | | * |
| Vetiver | | * |
| Ylang-ylang | | * |

## Suplementos herbarios para el fortalecimiento sexual

Los suplementos herbarios que tienen los mejores efectos de fortalecimiento sexual son la catuaba, la damiana, la marapuama y el tribulus.

### Catuaba (*Erythroxylon catuaba*)

Los extractos de corteza de catuaba –también conocida como "árbol del amor"– son muy usados en Centroamérica para incrementar el deseo sexual, sobre todo en hombres mayores. Sin embargo, las sustancias aromáticas de la planta promueven los sueños eróticos y el aumento de la energía sexual tanto en hombres como en mujeres. Los sueños eróticos suelen comenzar entre cinco y 21 días después de tomar los extractos con

regularidad, y a esto sigue un crecimiento del apetito sexual. La catuaba también mejora la circulación sanguínea periférica y puede mejorar la disfunción eréctil.
*Dosis:* Un gramo al despertar y un gramo antes de dormir tomados en forma de cápsulas o tabletas.

## Damiana (*Turnera diffusa aphrodisiaca*)

Es un pequeño arbusto con hojas aromáticas que es empleado como afrodisiaco desde la época de los mayas. Contiene aceites aromáticos que tienen un suave efecto estimulador de los genitales, el cual produce sensaciones localizadas de hormigueo y palpitación. Resulta muy útil para los casos en que la baja motivación sexual se relaciona con la ansiedad o la depresión ligera. Por lo general, se toma de manera ocasional –sólo cuando se necesita, y no en forma regular. Existen evidencias que sugieren que puede reducir la absorción del hierro por los intestinos, de manera que no debe usarse a largo plazo.
*Dosis:* De 200 a 800 gramos diarios en forma de cápsula.

## Marapuama (*Ptychopetalum olacoides*)

También conocida como "árbol de la potencia", la marapuama es un pequeño árbol de los bosques lluviosos de Brasil. Sus raíces y su corteza se consumen para realzar el deseo sexual y superar la impotencia, pero los investigadores aún no conocen bien la manera en que funciona. Se piensa que despierta el apetito sexual al actuar directamente sobre las sustancias químicas del cerebro, estimular las terminaciones nerviosas de los genitales y reforzar el funcionamiento de la testosterona. La marapuama también se emplea como tónico general para el sistema nervioso.
*Dosis:* Una cápsula de uno o 1.5 gramos al día por un periodo de entre diez y catorce días.

### *Tribulus (Tribulus terrestris)*

Esta planta hindú, también conocida como *ci ji li*, se utiliza en la medicina ayurvédica. Los tratamientos de cinco días han mostrado que elevan los niveles de testosterona en algunos hombres sanos y que mejoran la falta de apetito sexual relacionada con el letargo, la fatiga y la llamada *menopausia masculina*. El *tribulus* también realiza acciones diuréticas y se lo ha utilizado de manera tradicional como un tónico general masculino y como estimulante del hígado.

Dosis: 250 mg diarios o una cápsula estandarizada para contener 40 por ciento de saponinas del tipo furostanol tres veces al día.

# 10
# VIVE

Mientras desintoxicas tu cuerpo, tal vez te sea útil ordenar las cosas que te rodean. El sólo observar una habitación desordenada llena de papeles inservibles, libros y otros objetos puede hacer que te sientas abrumado. En cambio, si te rodeas de superficies limpias y despejadas puedes llegar a sentirte tranquilo y relajado. El *feng shui* es una antigua práctica china basada en la creencia de que reducir el desorden y cambiar la posición de ciertos objetos dentro del hogar puede mejorar el fluir de la energía en una habitación. Si aplicas algunos de los principios del feng shui en tu casa como parte de tu programa de desintoxicación, puedes obtener un efecto terapéutico en muchos aspectos de tu vida que incluyen la salud, el bienestar material y la felicidad. Tú puedes informarte acerca de esta práctica en uno de los varios libros que hoy pueden conseguirse sobre la materia, o pedir a un consultor de feng shui que examine tu casa para hacerle una transformación profesional.

Feng shui quiere decir "viento y agua", y es el arte chino de arreglar la propia vida en concordancia con las fuerzas del universo. Sus creencias se basan en tres armonías naturales:

1. La armonía que existe entre el individuo y su entorno inmediato.
2. La armonía que existe entre el entorno y sus alrededores más amplios.
3. La armonía a mayor escala que existe entre las energías que convergen en una persona en particular dentro de cualquier espacio particular.

A estos patrones energéticos que actúan en tu hogar se les considera una de las influencias más importantes para la relajación, la buena salud y la prosperidad. Incluso los cambios sutiles, como la colocación de un espejo octagonal cerca de la puerta principal, puede tener dramáticos efectos protectores.

La iluminación armoniosa también constituye un importante promotor del bienestar. Si permites que la radiante luz del día se cuele en tu hogar por entre cortinas ligeras de muselina o espumilla, podrás transformar toda la atmósfera de una habitación. En la noche, puedes crear un ambiente más suave al repartir varias lámparas de bajo vatiaje por toda la habitación en lugar de tener una sola luz cenital. Las lámparas de piso y pared con proyección hacia arriba y los interruptores con regulador de luz resultan bastante efectivos para crear una sensación de reposo.

El color es otro elemento importante en tu hogar. Para la relajación, utiliza el poder curativo de las plantas verdes, y para efectos de descanso, usa la gama de colores naturales de la tierra (verdes opacos, cremas y beiges) con matices ricos y sutiles de ocre y canela. Las texturas naturales como la de la pizarra, la madera, la guija, el algodón y la tela de *hessian*, también contribuyen a crear una atmósfera de tranquilidad.

De acuerdo con las reglas del feng shui, los colores crema, blanco grisáceo y beige funcionan en cualquier habitación, mientras que el verde claro favorece los baños y las salas de estar. Los amarillos y los colores de tierra intensos son apropiados para la cocina, y los colores durazno o rosa tenues, para las alcobas. Se cree que los rojos y naranjas vibrantes son demasiado estimulantes, y por ende, inadecuados para su uso en el hogar, mientras que al azul —en especial al azul marino— se le considera desfavorable por ser el color del agua, por lo que puede absorber y guardar la energía de una manera impredecible y problemática.

## Consejos para desintoxicar tu hogar

- Deshazte de todo lo que te estorbe.
- Considera con cuidado qué adornos o pinturas en verdad necesitas.
- Revisa cada uno de tus cajones y armarios y guarda sólo lo indispensable; si tienes dudas sobre ciertas cosas, déjalas en el desván.
- Ordena todas tus áreas de trabajo al final de cada día. Coloca letreros recordatorios de actividades pendientes para asegurarte de realizarlas lo antes posible.
- No permitas que se acumulen cosas bajo tu cama.
- Tira todas las medicinas caducas.
- Pinta tu cuarto para darle frescura. Cerciórate de usar pintura no tóxica
- Considera desechar la ropa que no hayas usado en al menos un año.
- Define la función de cada habitación y trata de no asignar demasiadas actividades a un solo espacio. Por ejemplo, si tienes que usar una alcoba como tu oficina en casa, separa el área de trabajo de la de descanso con un biombo.
- Utiliza grabaciones de sonidos naturales como cantos de aves, cascadas u olas marinas para añadir una nueva dimensión de tranquilidad a tu hogar.
- Haz uso de la aromaterapia para perfumar tu alcoba con alguna esencia relajante.

# 11

# CRECE

La desintoxicación total necesita dirigirse a la mente tanto como al cuerpo para ayudarte a dejar patrones y hábitos de pensamiento dañinos que pueden perjudicar tu salud. Los psicólogos han identificado una serie de patrones mentales equivocados –o tóxicos– capaces de provocar miedos irracionales que necesitan descartarse. Trata de evitar los siguientes errores comunes.

## Patrones de pensamiento tóxicos

Etiquetas: "Soy un fracasado." "Soy un estúpido." "No soy lo bastante bueno."

Proyecciones negativas: "Deben pensar que soy un tonto." "Ya deben estar hartos de mí."

Predicciones negativas: "Se que voy a fallar." "Me va a decir que no."

Generalizaciones negativas: "Las cosas siempre me salen mal." "Todos están en mi contra."

Convertir lo positivo en negativo: "Sólo me invitaron para que hubiese más gente." "Acerté de pura chiripa."

Pensar en las cosas sin términos medios: "Si no estás conmigo, estás contra mí."

Exagerar las cosas: "Esto es lo peor que me ha pasado en mi vida." "Ya no puedo soportarlo más."

Culparse injustamente: "Mi equipo perdió. Yo tengo la culpa por no apoyarlos lo suficiente."

Culpar a los demás: "Todo es culpa suya. Debieron de haber previsto todo."

Demeritar lo positivo: "He logrado dejar de fumar, pero ¿de que me sirve si aún bebo demasiado?"

Pensar con las emociones: "Ella me irrita. Debe ser alguien muy desagradable." "No puedo enfrentarme a eso ahora; olvidémoslo y ya se pasará."

Pensar en términos de *debería*: "Deberías hacer esto." "Deberías decir aquello." "Debería decir que sí." "Debería esforzarme más." En cambio, trata de decir, "Te agradecería que..." o "Yo preferiría..."

Pensar en términos de *debo*: "Debo hacer esto." "Debo decir que sí." En cambio, trata de decir, "Intento..."

Pensar en términos de *tengo que*: "Tengo que hacer esto." "Tengo que esforzarme más." En cambio, trata de decir, "Me gustaría..."

Usar extremos: "Mis resultados fueron terribles." "Estuve pésimo." En cambio, emplea términos más suaves como molesto, desafortunado o inconveniente.

Una de las maneras más efectivas de desintoxicar tu mente es convertir los pensamientos destructivos y negativos en otros más positivos:

- "No puedo con eso" se transforma en "Voy a enfrentarlo".
- "No puedo hacer esto" se transforma en "Voy a lograrlo".
- "No sirvo para nada" se transforma en "Soy muy útil".
- "Está muy difícil" se transforma en "Voy a superar este reto".

## Consejos para el crecimiento personal

- Reordena tus prioridades y lucha por cosas que valga la pena ser en lugar de por aquellas que valga la pena tener.
- Deja de ser idealista o perfeccionista.
- Acepta el hecho de que hay cosas que pueden y van a salir mal y no busques de inmediato alguien a quien culpar.
- Busca aspectos positivos en vez de encontrar razones para decepcionarte.
- Elogia a quien lo merezca.
- Di *gracias* más a menudo para que la gente sepa que valoras sus esfuerzos.
- Escucha lo que otros tienen que decir.
- Aprende a reírte de ti mismo y no de otras personas.
- Sé más paciente.
- Date un tiempo diario para relajarte.
- Aparta una tarde a la semana para hacer lo que te plazca.
- Expresa tus emociones en vez de guardarlas.

## Remedios de las flores de bach

Estas preparaciones homeopáticas han sido creadas para mejorar toda una variedad de estados emocionales, incluidos los que se derivan de pensamientos tóxicos. Los remedios contienen esencias florales conservadas en alcohol de uva y alivian síntomas físicos al tratar problemas emocionales subyacentes.

El doctor Edward Bach clasificó los problemas emocionales en siete grupos principales, subdivididos en un total de 38 estados mentales negativos o dañinos. A cada uno de estos estados corresponde una esencia floral que puede restituir el equilibrio emocional.

La esencia de Bach más conocida es el "remedio de salvación", una combinación de cinco esencias florales (heliantemo, impaciencia, clemátide, leche de gallina y *cerasifera*) que ayuda a lograr el equilibrio emocional en periodos de crisis o estrés.

Existen dos maneras principales en que se preparan los remedios de Bach. Ambos métodos siguen los principios homeopáticos.

Infusión: Se colocan las flores en la superficie de una pequeña taza de vidrio llena de agua de manantial pura. Esto se deja infundir a la luz directa del sol durante tres horas, se tiran las flores y se preserva la infusión en alcohol de uva. La solución resultante recibe el nombre de tintura madre, la cual se diluye posteriormente para crear los remedios individuales.

Hervor: Se hierven trocitos de vástagos florecientes en agua de manantial pura durante 30 minutos. Entonces, se tira el material vegetal y se deja enfriar el agua antes de preservarla en alcohol de uva. La solución resultante es la tintura madre.

Modo de empleo: Vierte dos gotas del remedio floral directo en tu lengua, o agrega dos gotas a un vaso con agua y sorbe el líquido hasta que los síntomas hayan pasado. Si es necesario, pueden mezclarse hasta siete remedios a la vez.

Para mezclar: Coloca dos gotas de hasta siete remedios de tu preferencia en un frasco gotero de 30 ml y rellénalo hasta el tope con agua de manantial. Toma cuatro gotas de esta mezcla cuatro veces al día, o con más frecuencia si lo requieres.

### Los males y sus remedios de Bach

- Heliantemo/jarilla (*Helianthemum nummularium*) para el terror extremo, el pánico, el susto y las pesadillas.

- Mímulo (Mimulus guttatus) para los miedos y fobias conocidos y la timidez.
- Cerasifera (Prunus cerasifera) para el miedo a perder el control, la furia incontrolable, los ataques de ira, los impulsos y el miedo a hacer daño a uno mismo o a los demás.
- Álamo temblón (Populus tremula) para los miedos y ansiedades vagos y de origen desconocido, los malos presentimientos, la susceptibilidad y los sentimientos de fatalidad.
- Castaño rojo (Aesculus carnea) para el miedo excesivo o la preocupación desmedida por los demás.

### Incertidumbre e indecisión

- Ceratostigma (Ceratostigma willmottianum) para aquellas personas que dudan de su propia capacidad para juzgar situaciones y tomar decisiones.
- Scleranthus (Scleranthus annus) para las personas indecisas y las propensas a cambios bruscos de energía o estado anímico.
- Genciana (Gentianella amarella) para la gente que se da por vencida con facilidad y para la que duda mucho, se desespera o duda de sí misma.
- Aulaga (Ulex europaeus) para los sentimientos de desesperación, desesperanza y vacío.
- Hojaranzo/carpe (Caprinus betulus) para los sentimientos de incapacidad para afrontar el día, la fatiga, la lentitud y para quienes necesitan de fortaleza interior.
- Avena silvestre (Bromus ramosus) para las personas insatisfechas con su actual modo de vida o profesión y que no pueden decidir el camino que deben seguir.

### Desinterés en las circunstancias del presente

- Clemátide (Clematis vitalba) para los escapistas –quienes viven más en el futuro que en el presente–, así

como para la falta de concentración, las ensoña-
ciones, el desinterés en las circunstancias del presente y las sensaciones de no estar en el propio
cuerpo.

- Rosa silvestre/Escaramujo (*Rosa canina*) para la apa-
tía, la resignación ante las circunstancias y para
quienes se esfuerzan poco por mejorar las situaciones o encontrar la felicidad.

- Olivo (*Olea europaea*) para el agotamiento total, el cansancio físico y mental, y la vitalidad reducida, sobre todo durante los periodos de convalecencia.

- Castaño de Indias (*Aesculus hippocastanum*) para los pensamientos obsesivos aterradores, los conflictos mentales y las preocupaciones agobiantes.

- Mostaza (*Sinapis arvensis*) para el abatimiento profundo sin motivo aparente, la melancolía y la tristeza
profunda.

- Brote de castaño (*Aesculus hippocastanum*) para las personas que no aprenden de sus errores.

## Soledad

- Violeta de agua (*Hottonia palustris*) para quienes pre-
fieren estar solos o muestran actitudes de superio-
ridad, distanciamiento, orgullo y reserva. También
para las personas que aconsejan pero que nunca se
involucran en los problemas de los demás

- Impaciencia (*Impatiens glandulifera*) para las personas
que piensan y actúan rápido, pero que se muestran
irritables e impacientes, en especial con las que son
más lentas.

- Brezo (*Calluna vulgaris*) para los muy parlanchines y
para quienes siempre necesitan compañía y alguien
que los escuche; para la gente que se preocupa demasiado de sí misma y le cuesta mucho trabajo estar sola.

## Hipersensibilidad a las influencias e ideas

- Agrimonia (*Agrimonia eupatoria*) para las personas que no desean ser una carga para otras y disimulan sus problemas con una sonrisa, y para las que buscan la compañía y la diversión para fugarse de sus problemas.
- Centáurea (*Centaurium umbellatum*) para los que no saben decir que no, la gente sumisa y la que se desvive por complacer y es fácil víctima de abusos.
- Nogal (*Juglans regia*) para estabilizar las emociones durante periodos de transición como la pubertad y la menopausia. Para adaptarse a nuevos comienzos o relaciones.
- Acebo (*Ilex aquifolium*) para sentimientos negativos como envidia, desconfianza, sed de venganza y odio.

### Desesperanza o desesperación

- Alerce (*Larix decidua*) para las personas que no confían en sí mismas, temen al fracaso y no se esfuerzan lo suficiente para triunfar.
- Pino (*Pinus silvestris*) para los remordimientos, las culpas y las personas insatisfechas con sus propias acciones. También para los que se culpan a sí mismos de las desgracias ajenas.
- Olmo (*Ulmus procera*) para la gente que se exige demasiado, se abruma y se atiborra de responsabilidades.
- Castaño dulce (*Castanea sativa*) para las personas que han llegado al límite de su resistencia, así como para la desesperación profunda y la angustia insoportables.
- Leche de gallina (*Ornitogallum umbellatum*) para el estrés físico y mental que sigue a las experiencias traumáticas o al duelo.

- Sauce (*Salix vitellina*) para aquellos que sienten que han sufrido de manera injusta, así como para el resentimiento y la amargura.
- Roble (*Quercus robur*) para la gente valiente y determinada que no suele darse por vencida, a pesar de la adversidad o las enfermedades, pero que está perdiendo su fuerza para luchar.
- Manzano silvestre (*Malus pumila*) para los sentimientos de vergüenza, minusvalía, desaseo, mala imagen propia o miedo a contaminarse. También ayuda a desintoxicar y purificar.

## Control excesivo

- Achicoria (*Cichorium Intybus*) para quienes les gusta estar cerca de su familia y amigos, pero les cuesta trabajo soltarlos. También para la gente que espera una estricta obediencia en recompensa por su amor.
- Verbena (*Verbena officinalis*) para las personas con ideas demasiado arraigadas, las que se indignan ante la injusticia y las que son demasiado entusiastas o alegadoras.
- Vid (*Vitis vinifera*) para la gente voluntariosa con tendencia a ser cruel, dominante, arbitraria o inflexible.
- Haya (*Fagus sylvatica*) para las personas hipercríticas e intolerantes que buscan la perfección y ven fallas por doquier.
- Agua de roca (*Aqua petra*) para quienes son demasiado estrictos consigo mismos y se han impuesto un modo de vida disciplinado en exceso.

Selecciona los remedios más adecuados a tus necesidades y tenlos a la mano en todo momento para usarlos cuando lo requieras como parte de tu programa de desintoxicación.

# 12

# PLAN INTEGRAL DE DESINTOXICACIÓN

La secuencia lógica para una dieta de desintoxicación es la siguiente:

- Comienza por hacer cambios alimenticios y de estilo de vida que sirvan de cimientos para tu plan de desintoxicación.
- Toma suplementos purificadores para reforzar los sistemas eliminadores del cuerpo.
- Una vez que haya comenzado la purificación, añade suplementos nutricionales que fortalezcan tu salud e inmunidad futuras.
- Utiliza terapias complementarias que ayuden al proceso de desintoxicación.

El razonamiento que sustenta esta secuencia es que no tiene caso proporcionar suplementos nutricionales a un organismo intoxicado. Esto sería equivalente a añadir aceite limpio al aceite sucio de un auto al que se realiza el servicio, es decir, una completa pérdida de tiempo y esfuerzo.

Si lo deseas, durante el proceso de purificación tú puedes incrementar la eliminación de toxinas al estimular la sudoración por medio del ejercicio o los cuartos de vapor. Sé cauto con los saunas, pues el calor excesivo durante la desintoxicación puede provocar desmayos. Si decides usarlos, asegúrate de estar acompañado y bebe bastantes líquidos. Lo ideal es que los evites hasta que retomes un régimen alimenticio normal pero sano. Una opción es que tomes un sauna un día antes de iniciar el programa completo de desintoxicación para ayudarte a tener un buen comienzo. Si lo deseas, puedes emplear suplementos que promuevan la sudoración y la micción, como es el caso del diente de león.

Es importante que bebas bastante agua de manantial o filtrada (no cloratada) para que te ayude a eliminar las toxinas de tu organismo. Proponte beber tres litros de líquido al día. Para darle variedad a este consumo, puedes incluir tés de hierbas y frutas, los cuales están permitidos durante la dieta purificadora.

Una dieta purificadora y equilibrante otorga un beneficio adicional al promover un sano funcionamiento intestinal, gracias a que aumenta la ingestión de fibra y restituye los niveles de bacterias benéficas (como el *lactobacillus acidophilus*). Asegúrate de que todos los alimentos que consumas hayan sido certificados como orgánicos.

A algunas personas les gusta ayunar al principio de la desintoxicación, y sólo consumen agua o jugos. Lo ideal es que esto se haga bajo la supervisión de algún practicante calificado, pues la liberación excesiva de toxinas puede provocarte malestar (véase p. 39).

Durante la desintoxicación, debes abstenerte de consumir cafeína. Sin embargo, si estás acostumbrado a ingerir grandes cantidades, podrías sufrir un síndrome de abstinencia con jaquecas e irritabilidad. Si bebes más de tres tazas diarias de alguna bebida cafeinada, vale la pena que te prepares para la desintoxicación al reducir de manera gradual tu consumo una o dos semanas antes de iniciar la dieta purificadora.

## ¡Alerta sanitaria! Utensilios de aluminio

Sustituye todos tus utensilios de cocina hechos de aluminio por otros de acero inoxidable. El aluminio puede dejar residuos en la comida durante su preparación —en especial cuando se cocinan platillos agrios—, y éstos pueden acumularse en el cuerpo y producir efectos tóxicos.

El siguiente plan de desintoxicación te guiará a través de una dieta purificadora y equilibrante que puedes seguir durante diez días. Cerciórate de que este plan sea seguro para ti (véase Capítulo 1 p. 11) y asegúrate de realizar el plan de evaluación de las páginas diecisiete y dieciocho antes de comenzar.

Durante la fase purificadora del programa sólo deberás consumir:

- Frutas, verduras y jugos frescos y orgánicos.
- Arroz integral cocido.
- Cereales integrales orgánicos.
- Bioyogurt.
- Queso *cottage* solo.
- Agua mineral o de manantial pura.

Puedes comer las cantidades que desees, pero procura ingerir al menos la mitad de tu consumo diario de energía para proteger los tejidos magros de tu cuerpo (véase p. 41).

1. Come poco pero con frecuencia a lo largo del día. Un consumo típico de arroz integral es de 50 gramos (peso en crudo) de dos a cuatro veces al día, de lo que se obtiene un consumo máximo de 225 gramos diarios.
2. Además, puedes preparar la sopa de verduras incluida en la página 198 y comerla de manera regular a lo largo del día.

3. Si lo deseas, puedes diluir los jugos de frutas o verduras en agua de manantial.

Algunas recetas piden que dejes remojar o marinar los productos durante toda la noche, así que revisa las recetas del día siguiente por si debieras preparar algo con antelación. No es necesario que te apegues a estos planes o recetas de manera estricta. Si prefieres sólo comer arroz, sopas, vegetales al vapor y fruta, no hay ningún problema.

## Purificación: primer día

Al despertar: Agua tibia con jugo de limón recién exprimido.

Desayuno: Jugo de la fruta de tu elección; ciruelas pasas o higos remojados durante la noche en jugo de fruta o té de hierbas; bioyogurt vivo.

Media mañana: Plátano u otra fruta de fácil digestión, como naranja, manzana, pera y melón, con la frecuencia que desees.

Almuerzo: Arroz integral cocido, queso *cottage*, una ensalada grande de vegetales crudos (como zanahoria, apio o calabacita) rociados de nueces y semillas; bioyogurt vivo; jugo de zanahoria y/o manzana.

Media tarde: Frutas y vegetales crudos con la frecuencia que desees.

Merienda: Arroz integral cocido, un plato grande de sopa de verduras (véase p. 198); bioyogurt.

Noche: Fruta fresca con la frecuencia que desees.

Bebe al menos tres litros diarios de agua de manantial, jugo de fruta o té de hierbas.

## Suplementos purificadores recomendados

Cáscaras de zaragatona (Una o dos cucharadas soperas antes de dormir).

Extractos estandarizados de cardo lechar.

Extractos de raíz de diente de león.

Ácidos húmicos.

Si tiendes a estreñirte, prueba el aloe vera.

### Antioxidantes

Vitamina C (un gramo, de preferencia como Éster-C, tres veces al día).

Vitamina E (286 mg diarios).

Selenio (200 microgramos diarios).

### Escoge tu...

Ejercicio del día.....................................

Terapia complementaria del día ....................

Método de relajación del día ......................

Placer del día ......................................

Acuéstate temprano –no después de las nueve de la noche– para descansar y rejuvenecer.

### Para añadir textura y sabor

Rocía cualquiera de los siguientes productos enlistados a tus ensaladas, arroz o platos fuertes cuando se te antoje.

- 50 gramos de semillas de girasol tostadas y/o crudas
- 50 gramos de semillas de calabaza tostadas y/o crudas
- 100 gramos de nueces mixtas sin sal
- 50 gramos de almendras de pino
- 50 gramos de semillas de sésamo tostadas
- 50 gramos de semillas de amapola.

## Sopa purificadora de verduras (rinde cuatro porciones)

- 4 dientes de ajo.
- 4 jitomates grandes.
- 1 kilogramo de vegetales orgánicos mixtos como cebolla, puerro, papa, nabo sueco, chirivía, col blanca, calabacita, acelga, betabel, pimientos, berro, brócoli, apio, zanahoria, espinaca, apio nabo e hinojo.
- *Bouquet garni* (opcional).
- Pimienta negra recién molida.
- 2 cucharadas soperas de hierbas frescas picadas.
- El jugo de un limón recién exprimido.

Lava y corta todos los ingredientes y colócalos en una cacerola grande con el bouquet garni —en caso de usarlo. Cúbrelos con agua y hiérvelos hasta que las verduras estén ligeramente suaves. Sazona con pimienta negra y añade las hierbas frescas y el jugo de limón. Si lo deseas, puedes hacer puré con la sopa y congelarlo en porciones individuales para consumirlo a lo largo de tu desintoxicación.

### Purificación: segundo día

Al despertar: Agua tibia con jugo de limón recién exprimido.

Desayuno: Jugo de la fruta de tu elección; ciruelas pasas o higos remojados durante la noche en jugo de fruta o té de hierbas; bioyogurt.

Media mañana: Plátano u otra fruta de fácil digestión, como naranja, manzana, pera y melón, con la frecuencia que desees.

Almuerzo: Arroz integral cocido, queso *cottage* con aguacate; betabel, zanahoria y calabacita crudos y rallados; una ensalada mixta grande rociada de nueces y semillas; bioyogurt; jugo de zanahoria y/o manzana.

Media tarde: Frutas y vegetales crudos con la frecuencia que desees.

Merienda: Arroz integral cocido, un plato grande de sopa de verduras (véase página anterior) y una porción de bioyogurt.

Noche: Fruta fresca con la frecuencia que desees.

Bebe al menos tres litros diarios de agua de manantial, jugo de fruta o té de hierbas.

## Suplementos purificadores recomendados

Cáscaras de zaragatona (una o dos cucharadas soperas antes de dormir).

Extractos estandarizados de cardo lechar.

Extractos de raíz de diente de león.

Ácidos húmicos.

Si tiendes a estreñirte, prueba el aloe vera.

## Antioxidantes

Vitamina C (un gramo, de preferencia como Éster-C, tres veces al día).

Vitamina E (286 mg diarios).

Selenio (200 microgramos diarios).

## Escoge tu...

Ejercicio del día . . . . . . . . . . . . . . . . . . . . . . . . . . . . . . . . . .

Terapia complementaria del día . . . . . . . . . . . . . . . . . . . .

Método de relajación del día . . . . . . . . . . . . . . . . . . . . . .

Placer del día . . . . . . . . . . . . . . . . . . . . . . . . . . . . . . . . . .

Acuéstate temprano —no después de las nueve de la noche— para descansar y rejuvenecer.

## Sopa desintoxicante de hinojo (rinde cuatro porciones)

- 450 gramos de bulbos de hinojo de Florencia finamente rebanados.

- 1 cebolla grande picada.
- 3 dientes de ajo machacados.
- 3 jitomates bola rebanados.
- 1 cucharada sopera de perejil fresco picado.
- 1 cucharada sopera de albahaca fresca picada.
- 1 vaso de jugo de tomate o de verduras.
- Pimienta negra recién molida.
- Nueces y semillas picadas como aderezo.

Coloca todos los ingredientes (excepto los condimentos) en una cacerola y llénala con suficiente agua como para cubrir los vegetales. Tápala y cuece el contenido a fuego lento durante 30 minutos. Sazona con pimienta negra y rocía unas cuantas nueces y semillas picadas antes de servir.

Si lo deseas, puedes congelar esta sopa en porciones individuales para consumirla a lo largo de tu desintoxicación.

## Purificación: tercer día

Al despertar: Agua tibia con jugo de limón recién exprimido.

Desayuno: Jugo de la fruta de tu elección; ciruelas pasas o higos remojados durante la noche en jugo de fruta o té de hierbas; bioyogurt.

Media mañana: Plátano u otra fruta de fácil digestión, como naranja, manzana, pera y melón, con la frecuencia que desees.

Almuerzo: Arroz integral cocido, humus (véase p. 202); vegetales crudos; ensalada griega (véase p. 203); bioyogurt vivo; jugo de zanahoria y/o manzana.

Media tarde: Frutas y vegetales crudos con la frecuencia que desees.

Merienda: Arroz integral cocido, un plato grande de *ratatouille* (véase p. 201); bioyogurt.

Noche: Fruta fresca con la frecuencia que desees.

Bebe al menos 3 litros diarios de agua de manantial, jugo de fruta o té de hierbas.

## Suplementos purificadores recomendados

Cáscaras de zaragatona (una o dos cucharadas soperas antes de dormir).

Extractos estandarizados de cardo lechar.

Extractos de raíz de diente de león.

Ácidos húmicos.

Si tiendes a estreñirte, prueba el aloe vera.

## Antioxidantes

Vitamina C (un gramo, de preferencia como Éster-C, tres veces al día).

Vitamina E (286 mg diarios).

Selenio (200 microgramos diarios).

## Escoge tu...

Ejercicio del día . . . . . . . . . . . . . . . . . . . . . . . . . . . . . . . . .

Terapia complementaria del día . . . . . . . . . . . . . . . . . . . .

Método de relajación del día . . . . . . . . . . . . . . . . . . . . . .

Placer del día . . . . . . . . . . . . . . . . . . . . . . . . . . . . . . . . . . .

Acuéstate temprano –no después de las nueve de la noche– para descansar y rejuvenecer.

## Ratatouille desintoxicante (rinde cuatro porciones)

- 1 cebolla grande rebanada.
- 2 dientes de ajo machacados.
- 1 raicilla de jengibre pelada y finamente picada.
- 1 pimiento rojo dulce sin semillas y rebanado a lo largo.

- 1 berenjena grande picada.
- 1 calabacita grande picada.
- 4 jitomates bola picados.
- 1 cucharada sopera de perejil fresco picado.
- 1 cucharada sopera de albahaca fresca picada.
- 1 cucharada sopera de cilantro fresco picado.
- 1 cucharadita de tomillo fresco picado.
- Pimienta negra recién molida.

Coloca todos los ingredientes (excepto los condimentos) en una cacerola, añade suficiente agua o salsa de tomate o de verduras hasta cubrirlos, tapa la cacerola y cuece a fuego lento durante 30 minutos. Mueve el contenido de vez en cuando. Sazona a tu gusto con pimienta negra.

Si lo deseas, puedes congelar esta sopa en porciones individuales para consumirla a lo largo de tu desintoxicación.

### Humus desintoxicante
### (rinde cuatro porciones)

- 150 gramos de garbanzo remojado durante la noche hasta que su peso se haya duplicado.
- 3 cucharadas soperas de aceite de oliva extra virgen.
- El jugo recién exprimido y la ralladura de 2 limones.
- 3 dientes de ajo.
- 120 gramos de pasta *tahini* (de sésamo) orgánica.
- Pimienta negra recién molida.
- Perejil fresco picado o páprika molida como aderezo.

Drena el agua de los garbanzos y ponlos en una cacerola. Cúbrelos con agua fresca y cuécelos a fuego lento durante una hora y media o hasta que se ablanden. Drénalos pero guarda el líquido. Agrega cinco cucharadas soperas de ese líquido de cocción a una licuadora con el aceite de oliva, la ralladura y el jugo de limón, y el ajo. Comienza a licuar y, poco a poco, añade los garbanzos y la pasta *tahini*. Si la licuadora se atasca, agrega más líquido de cocción hasta que obtengas un puré granuloso. Para variar el sabor, puedes añadir más aceite de oliva o pasta *tahini* según lo desees. Sazona al gusto y adereza antes de servir.

### Ensalada griega
### (rinde cuatro porciones)

- 225 gramos de hojas de verduras mixtas para ensalada.
- 8 rábanos enteros destallados.
- 12 aceitunas negras enjuagadas y deshuesadas.
- 12 aceitunas verdes enjuagadas y deshuesadas.
- 1 cebolla roja finamente rebanada y separada en aros.
- 1 pimiento rojo sin semillas y cortado en rajas.
- 1 pimiento verde sin semillas y cortado en rajas.
- La cuarta parte de un pepino finamente rebanada.
- De 8 a 12 jitomates cerezo.
- 225 gramos de queso feta.
- Cilantro como aderezo.

Acomoda todos los ingredientes en una ensaladera y aderézalos con el cilantro.

### Purificación: cuarto día

Al despertar: Agua tibia con jugo de limón recién exprimido.

Desayuno: Jugo de la fruta de tu elección; ciruelas pasas o higos remojados durante la noche en jugo de fruta o té de hierbas; bioyogurt.

Media mañana: Plátano u otra fruta de fácil digestión, como naranja, manzana, pera y melón, con la frecuencia que desees.

Almuerzo: Arroz integral cocido; queso *cottage* con piña; betabel, zanahoria y calabacita rallados; una ensalada mixta grande rociada de nueces y semillas; bioyogurt; jugo de zanahoria y/o manzana.

Media tarde: Frutas y vegetales crudos con la frecuencia que desees.

Merienda: Arroz integral cocido; pimientos rojos dorados (véase p. 205); brócoli al vapor; bioyogurt.

Noche: Fruta fresca con la frecuencia que desees.

Bebe al menos tres litros diarios de agua de manantial, jugo de fruta o té de hierbas.

## Suplementos purificadores recomendados

Cáscaras de zaragatona (una o dos cucharadas soperas antes de dormir).

Extractos estandarizados de cardo lechar.

Extractos de raíz de diente de león.

Ácidos húmicos.

Si tiendes a estreñirte, prueba el aloe vera.

## Antioxidantes

Vitamina C (un gramo, de preferencia como Éster-C, tres veces al día).

Vitamina E (286 miligramos diarios).

Selenio (200 microgramos diarios).

## Escoge tu...

Ejercicio del día ..................................

Terapia complementaria del día ....................

Método de relajación del día ......................

Placer del día ....................................

Acuéstate temprano —no después de las nueve de la noche— para descansar y rejuvenecer.

## Pimientos rojos dorados (rinde cuatro prociones)

- 4 pimientos rojos grandes.
- Aceite de oliva extra virgen.
- 2 dientes de ajo machacados.
- 2 cucharadas soperas de cilantro fresco picado.
- 2 cucharadas soperas de albahaca fresca picada.
- Pimienta negra recién molida.
- El jugo de 1 limón recién exprimido.
- 4 jitomates bola picados.
- 1 chile rojo finamente picado.
- 1 cayena (pimentón picante).

Precalienta el horno a 180 grados centígrados. Parte los pimientos rojos longitudinalmente por la mitad y quítales las semillas. Frota un poco cada pimiento por dentro y por fuera con el aceite de oliva. Coloca los pimientos en una lámina para hornear y distribuye el ajo, la mitad del cilantro y la mitad de la albahaca entre ambos. Rocía con jugo de limón y sazona con la pimienta negra. Coloca un poco del tomate picado dentro de cada mitad de pimiento y rocíalos con los trocitos de chile y pimentón. Coloca la lámina en el horno y pon a dorar los pimientos entre 45 y 50 minutos hasta que la piel comience a carbonear. Adereza con el resto de las hojas de albahaca y cilantro.

## Purificación: quinto día

Al despertar: Agua tibia con jugo de limón recién exprimido.

Desayuno: Jugo de la fruta de tu elección; ciruelas pasas o higos remojados durante la noche en jugo de fruta o té de hierbas; bioyogurt.

Media mañana: Plátano u otra fruta de fácil digestión, como naranja, manzana, pera y melón, con la frecuencia que desees.

Almuerzo: Arroz integral cocido; queso *cottage*; ensalada de lenteja verde (verdina), jengibre y cilantro (véase página opuesta) ensalada mixta grande rociada de nueces y semillas; bioyogurt; jugo de zanahoria y/o manzana.

Media tarde: Frutas y vegetales crudos con la frecuencia que desees.

Merienda: Arroz integral cocido; sopa de verduras (véase p. 198); brócoli al vapor; bioyogurt.

Noche: Fruta fresca con la frecuencia que desees.

Bebe al menos tres litros diarios de agua de manantial, jugo de fruta o té de hierbas.

## Suplementos purificadores recomendados

Cáscaras de zaragatona (una o dos cucharadas soperas antes de dormir).

Extractos estandarizados de cardo lechar.

Extractos de raíz de diente de león.

Ácidos húmicos.

Si tiendes a estreñirte, prueba el aloe vera.

## Antioxidantes

Vitamina C (un gramo, de preferencia como Éster-C, tres veces al día).

Vitamina E (286 mg diarios).

Selenio (200 microgramos diarios).

## Escoge tu...

Ejercicio del día . . . . . . . . . . . . . . . . . . . . . . . . . . . . . . . . . .

Terapia complementaria del día . . . . . . . . . . . . . . . . . . . .

Método de relajación del día . . . . . . . . . . . . . . . . . . . . . . .

Placer del día . . . . . . . . . . . . . . . . . . . . . . . . . . . . . . . . . . . .

Acuéstate temprano —no después de las nueve de la noche— para descansar y rejuvenecer.

## Ensalada de lenteja verde, jengibre y cilantro
### (rinde cuatro porciones)

- 225 gramos de lentejas verdes.
- 600 ml de agua.
- 1 zanahoria grande rallada.
- 1 cucharada sopera de aceite de oliva extra virgen.
- 1/2 cebolla finamente picada.
- 2 dientes de ajo machacados.
- 1 cucharada sopera de semillas de cilantro macha-cadas.
- 2 cucharadas de jugo de limón o lima recién expri-mido.
- 1 pieza de alrededor de 2.5 centímetros de raíz de jengibre pelada y finamente picada.
- Pimienta negra recién molida.
- 1 o 2 cucharadas soperas de cilantro fresco picado como aderezo.

Pon las lentejas en agua a fuego lento por alrededor de 30 minutos hasta que se cuezan pero aún sigan firmes. Añade la zanahoria rallada, deja cocer durante cinco minutos más y desagua. Calienta el aceite de oliva y fríe la cebolla, el ajo y las semillas de cilantro hasta que comiencen a oscurecerse. Añade esto a las lentejas dre-nadas, junto con todos los ingredientes restantes, mez-cla bien y sazona con la pimienta negra.

Sirve la ensalada tibia o fría y aderézala con hojas de cilantro.

## Equilibrio: sexto día

Al despertar: Agua tibia con jugo de limón recién ex-primido.

Desayuno: Jugo de la fruta de tu elección; nueces mix-tas, semillas y muesli de frutas secas (véase página opuesta) cubierto con leche parcialmente descremada y bioyogurt.

Media mañana: Plátano u otra fruta de fácil digestión, como naranja, manzana, pera y melón, con la frecuencia que desees.

Almuerzo: Arroz integral cocido, ensalada Nicoise (véase página opuesta); bioyogurt; jugo de zanahoria y/o manzana.

Media tarde: Frutas y vegetales crudos con la frecuencia que desees.

Merienda: Arroz integral cocido, pechuga de pollo asada o al vapor; zanahoria y brócoli al vapor; bioyogurt.

Noche: Fruta fresca con la frecuencia que desees.

Bebe al menos tres litros diarios de agua de manantial, jugo de fruta o té de hierbas.

## Suplementos purificadores recomendados

Cáscaras de zaragatona (una o dos cucharadas soperas antes de dormir).

Extractos estandarizados de cardo lechar.

Algas de color verde azulado.

Si tiendes a estreñirte, prueba el aloe vera.

## Antioxidantes

Vitamina C (un gramo, de preferencia como Éster-C, tres veces al día).

Vitamina E (286 mg diarios).

Selenio (200 microgramos diarios).

## Suplementos equilibrantes recomendados

Un suplemento vitamínico y mineral que proporcione cerca del 100 por ciento de la cantidad diaria recomendada de todos los micronutrientes posibles.

Aceite de prímula.

Un adaptógeno, como el ginseng siberiano.

### Escoge tu...

Ejercicio del día . . . . . . . . . . . . . . . . . . . . . . . . . . . . . . . .

Terapia complementaria del día . . . . . . . . . . . . . . . . . . . .

Método de relajación del día . . . . . . . . . . . . . . . . . . . . . .

Placer del día . . . . . . . . . . . . . . . . . . . . . . . . . . . . . . . . . .

### Muesli desintoxicante (rinde 750 gramos)

Utiliza ingredientes orgánicos.

- 50 gramos de rollos de avena.
- 50 gramos de hojuelas de trigo tostadas.
- 50 gramos de hojuelas de centeno.
- 50 gramos de hojuelas de cebada.
- 50 gramos de germen u hojuelas de salvado.
- 100 gramos de chabacanos secos picados.
- 50 gramos de dátiles secos picados.
- 50 gramos de higos secos picados.
- 50 gramos de nueces de nogal picadas.
- 25 gramos de castañas de Pará picadas.
- 25 gramos de avellanas picadas.
- 50 gramos de almendras de pino.
- 25 gramos de semillas de girasol.
- 25 gramos de semillas de calabaza.
- 25 gramos de semillas de sésamo.
- 25 gramos de semillas de amapola.

Mezcla todos los ingredientes y guárdalos en un recipiente sellado. Agita bien antes de pesar cada porción pues el salvado y las semillas pequeñas tienden a quedarse en el fondo.

### Ensalada Nicoise (rinde cuatro porciones)

- 450 gramos de frijoles descabezados y descolados.
- 2 corazones de lechuga de cogollo.
- 8 papas jóvenes pequeñas, hervidas, enfriadas y partidas por la mitad.
- 200 gramos de atún fresco asado, enfriado y escamado.
- 2 huevos de granja duros, sin cáscara y picados.
- 12 aceitunas negras, deshuesadas y partidas por la mitad.
- 1 cebolla pequeña finamente rebanada y separada en aros.
- 12 jitomates cerezo.
- Aceite de oliva extra virgen y jugo de lima para rociar.
- Menta fresca, cebollinos y perejil picados.

Parte los frijoles longitudinalmente por la mitad y cuécelos al vapor por entre cinco y diez minutos hasta que estén tiernos pero aún consistentes. Drénalos y sumérgelos en agua helada. Prepara una ensaladera con hojas de lechuga. Acomoda las papas y los frijoles encima. Coloca el atún escamado a la mitad de la ensaladera. Decora su alrededor con el huevo picado, las aceitunas negras, los aros de cebolla y los tomates. Rocía el aceite de oliva y el jugo de lima. Adereza con hierbas.

### Equilibrio: séptimo día

Al despertar: Agua tibia con jugo de limón recién exprimido.

Desayuno: Jugo de la fruta de tu elección; nueces mixtas, semillas y muesli de frutas secas (véase p. 209) cubierto con leche parcialmente descremada y bioyogurt.

Media mañana: Plátano u otra fruta de fácil digestión, como naranja, manzana, pera y melón, con la frecuencia que desees.

Almuerzo: Arroz integral cocido, ensalada equilibrante de habas (véase p. 212); queso cottage con piña; ensalada mixta grande; bioyogurt; jugo de zanahoria y/o manzana.

Media tarde: Frutas y vegetales crudos con la frecuencia que desees.

Merienda: Papas hervidas, filete de salmón asado con limón y yerbas (véase página siguiente); brócoli al vapor; elote; bioyogurt.

Noche: Fruta fresca con la frecuencia que desees.

Bebe al menos tres litros diarios de agua de manantial, jugo de fruta o té de hierbas.

## Suplementos purificadores recomendados

Cáscaras de zaragatona (una o dos cucharadas soperas antes de dormir).

Extractos estandarizados de cardo lechar.

Algas de color verde azulado.

Si tiendes a estreñirte, prueba el aloe vera.

## Antioxidantes

Vitamina C (un gramo, de preferencia como Éster-C, tres veces al día).

Vitamina E (286 mg diarios).

Selenio (200 microgramos diarios).

## Suplementos equilibrantes recomendados

Un suplemento tanto vitamínico como mineral que proporcione cerca del 100 por ciento de la cantidad diaria recomendada de todos los micronutrientes posibles.

Aceite de prímula.

Un adaptógeno, como el ginseng siberiano.

### Escoge tu...

Ejercicio del día . . . . . . . . . . . . . . . . . . . . . . . . . . . . . . . . . . .

Terapia complementaria del día . . . . . . . . . . . . . . . . . . . . .

Método de relajación del día . . . . . . . . . . . . . . . . . . . . . .

Placer del día . . . . . . . . . . . . . . . . . . . . . . . . . . . . . . . . . . .

### Ensalada equilibrante de habas (rinde cuatro porciones)

- 400 gramos de habas mixtas cocidas y frías.
- 1 jitomate bola picado.
- 2 dientes de ajo machacados.
- 2 cucharadas soperas de cilantro fresco picado.
- Unas cuantas semillas de cilantro fresco machacadas.
- Una pieza pequeña de raíz de jengibre pelada y finamente picada.
- 2 cucharadas soperas de jugo de lima o limón recién exprimido.
- 2 cucharadas soperas de jugo de naranja recién exprimida.
- 4 cucharadas soperas de bioyogurt.
- Pimienta negra recién molida.

Mezcla todos los ingredientes, sazona bien y sirve.

### Filetes de salmón asado con limón y yerbas (rinde 4 porciones)

- 1 cucharada sopera de aceite de oliva extra virgen.
- 4 cucharadas soperas de jugo de limón o lima recién exprimidos.
- 2 cebollas tiernas finamente picadas.
- 2 dientes de ajo machacados.

- 4 cucharadas soperas de hierbas frescas picadas (como perejil, eneldo, romero y tomillo).
- 4 filetes de salmón de 100 gramos cada uno.
- Pimienta negra recién molida.

Mezcla el aceite de oliva, jugo de limón, cebollas, ajo y hierbas. Deja marinar los filetes en esta mezcla durante al menos una hora. Sazónalos bien con pimienta negra y ásalos en una parrilla caliente hasta que la carne del salmón esté ligeramente firme, alrededor de cuatro minutos de cada lado. Enlarda con las sobras marinadas durante el tiempo de cocción.

## Equilibrio: octavo día

Al despertar: Agua tibia con jugo de limón recién exprimido.

Desayuno: Jugo de la fruta de tu elección; nueces mixtas, semillas y muesli de frutas secas (véase p. 209) cubierto con leche parcialmente descremada y bioyogurt.

Media mañana: Plátano u otra fruta de fácil digestión, como naranja, manzana, pera y melón, con la frecuencia que desees.

Almuerzo: Sopa de champiñón, ajo e hinojo (véase p. 214); ensalada mixta grande; ensalada de arroz y vegetales mixtos; bioyogurt; jugo de zanahoria y/o manzana.

Media tarde: Frutas y vegetales crudos con la frecuencia que desees.

Merienda: Cuscús; pollo picante con limón (véase p. 215); zanahoria y brócoli al vapor; bioyogurt.

Noche: Fruta fresca con la frecuencia que desees.

Bebe al menos tres litros diarios de agua de manantial, jugo de fruta o té de hierbas.

## Suplementos purificadores recomendados

Cáscaras de zaragatona (una o dos cucharadas soperas antes de dormir).
Extractos estandarizados de cardo lechar.
Algas de color verde azulado.
Si tiendes a estreñirte, prueba el aloe vera.

## Antioxidantes

Vitamina C (un gramo, de preferencia como Éster-C, tres veces al día).
Vitamina E (286 mg diarios).
Selenio (200 microgramos diarios).

## Suplementos equilibrantes recomendados

Un suplemento vitamínico y mineral que proporcione cerca del 100 por ciento de la cantidad diaria recomendada de todos los micronutrientes posibles.
Aceite de prímula.
Un adaptógeno, como el ginseng siberiano.

## Escoge tu...

Ejercicio del día . . . . . . . . . . . . . . . . . . . . . . . . . . . . . . . . . .
Terapia complementaria del día . . . . . . . . . . . . . . . . . . . .
Método de relajación del día . . . . . . . . . . . . . . . . . . . . . . .
Placer del día . . . . . . . . . . . . . . . . . . . . . . . . . . . . . . . . . . . .

## Sopa de champiñón, ajo e hinojo (rinde cuatro porciones)

- 1 cucharada sopera de aceite de oliva extra virgen.
- 1 cebolla grande pelada y picada.
- 3 dientes de ajo machacados.
- 450 gramos de champiñones pardos picados.

- 600 ml de leche parcialmente descremada.
- 150 ml de yogurt griego colado.
- 1 pieza de raíz de jengibre de 2.5 centímetros pelada y picada.
- 24 semillas de hinojo machacadas.
- Pimienta negra recién molida.
- Perejil fresco picado para aderezar.

Calienta el aceite de oliva en una sartén y fríe la cebolla y el ajo hasta que comiencen a oscurecerse. Añade los hongos y deja que se cocinen durante cinco minutos. Agrega la leche, el yogurt, el jengibre y las semillas de hinojo, y deja que hiervan. Luego pon a fuego lento durante veinte minutos y mueve la sopa hasta que quede líquida. Sazona con bastante pimienta. Adereza con el perejil y sirve.

## Pollo picante con limón (rinde cuatro porciones)

- 2 cucharadas soperas de aceite de oliva extra virgen
- 1 diente de ajo machacado.
- 1 pieza de raíz de jengibre de 2.5 cm pelada y picada.
- 1 chile rojo finamente picado.
- 1/4 de cucharadita de semillas de comino recién molidas
- 1/4 de cucharadita de semillas de cilantro recién molidas
- 4 pechugas de pollo despellejadas y deshuesadas
- 1 cebolla finamente picada
- 3 cucharadas soperas de perejil fresco picado
- 3 cucharadas soperas de cilantro fresco picado
- 1 pizca de azafrán o cúrcuma
- 300 mililitros de caldo de pollo o agua
- 1 limón rebanado
- Pimienta negra recién molida

Mezcla el aceite de oliva, ajo, jengibre, chile, comino y semillas de cilantro. Extiende esta mezcla sobre toda la superficie de las pechugas, coloca todo en un recipiente de barro, cúbrelo y deja que se marine durante toda la noche en el refrigerador. Cuando estés listo para cocinar, coloca las piezas de pollo, cebolla, perejil, hojas de cilantro y azafrán (o la cúrcuma) en una cacerola. Añade el caldo o el agua y deja que hierva. Pon a fuego lento durante veinte minutos. Agrega las rebanadas de limón y deja cocer diez minutos más. Retira las pechugas y el limón con un cucharón calado, colócalos en un platón y mantenlos calientes. Límpiales la salsa y sazónalos al gusto con la pimienta. Vuelve a cubrir las pechugas con la salsa y sirve.

## Equilibrio: noveno día

Al despertar: Agua tibia con jugo de limón recién exprimido.

Desayuno: Jugo de la fruta de tu elección; nueces mixtas, semillas y muesli de frutas secas (véase p. 209) cubierto con leche parcialmente descremada y bioyogurt.

Media mañana: Plátano u otra fruta de fácil digestión, como naranja, manzana, pera y melón, con la frecuencia que desees.

Almuerzo: Arroz integral cocido; *tártara* de salmón (véase p. 217); *raita* (véase p.218); ensalada mixta grande rociada de nueces y semillas; bioyogurt vivo; jugo de zanahoria y/o manzana.

Media tarde: Frutas y vegetales crudos con la frecuencia que desees.

Merienda: Pasta con salsa de tomate y albahaca (véase p. 218); ensalada grande de vegetales de hoja con aderezo de limón y aceite de nuez; bioyogurt.

Noche: Fruta fresca con la frecuencia que desees.

Bebe al menos tres litros diarios de agua de manantial, jugo de fruta o té de hierbas.

## Suplementos purificadores recomendados

Cáscaras de zaragatona (una o dos cucharadas soperas
    antes de dormir).
Extractos estandarizados de cardo lechar.
Algas de color verde azulado.
Si tiendes a estreñirte, prueba el aloe vera.

## Antioxidantes

Vitamina C (un gramo, de preferencia como Éster-C,
    tres veces al día).
Vitamina E (286 mg diarios).
Selenio (200 microgramos diarios).

## Suplementos equilibrantes recomendados

Un suplemento vitamínico y mineral que proporcione
    cerca del 100 por ciento de la cantidad diaria reco-
    mendada de todos los micronutrientes posibles.
Aceite de prímula.
Un adaptógeno, como el ginseng siberiano.

## Escoge tu...

Ejercicio del día . . . . . . . . . . . . . . . . . . . . . . . . . . . . . . . . .
Terapia complementaria del día . . . . . . . . . . . . . . . . . . . .
Método de relajación del día . . . . . . . . . . . . . . . . . . . . . .
Placer del día . . . . . . . . . . . . . . . . . . . . . . . . . . . . . . . . . . .

## Tártara de salmón (rinde cuatro porciones)

Este platillo debe prepararse con pescado muy fresco.
- 225 gramos de salmón fresco desmenuzado.
- 2 cucharaditas de jugo de lima recién exprimido.
- 2 cebollas tiernas finamente picadas.
- Pimienta negra recién molida.

- 120 gramos de bioyogurt.
- 1 cucharada sopera de mostaza entera.
- 1 cucharada sopera de miel.
- 1 cucharada sopera de cebollinos finamente picados.
- 2 cucharadas soperas de hierba de eneldo finamente picada.
- Ramitos de eneldo para aderezar.

Mezcla el salmón, el jugo de lima y la cebolla. Sazona bien con la pimienta y forma cuatro ruedas aplanadas. Mezcla el yougurt, la mostaza, la miel, los cebollinos y la hierba de eneldo para hacer la salsa. Con cuidado, coloca una rueda de salmón en el centro de un plato, cúbrela con la salsa y adérezala con los ramitos de eneldo.

### Raita (rinde cuatro porciones)

- 1/2 pepino partido y rallado.
- 3 dientes de ajo machacados.
- 2 cucharadas soperas de menta fresca picada.
- 1 cucharada sopera de cebollinos frescos picados.
- 1 cucharada sopera de jugo de limón recién exprimido.
- 450 gramos de bioyogurt colado.
- 1 cucharadita de miel.
- Pimienta negra recién molida.

Mezcla todos los ingredientes en una olla de barro. Sazona al gusto con la pimienta.

### Pasta con salsa de tomate y albahaca (rinde cuatro porciones)

- 2 cucharadas soperas de aceite de oliva extra virgen.
- 1 cebolla picada.
- 2 dientes de ajo machacados.
- 350 gramos de jitomates bola picados.
- 1 chile fresco o seco picado.

- 100 ml de jugo de tomate.
- 1 cucharada sopera de mostaza entera.
- 12 aceitunas negras deshuesadas y picadas.
- 6 cucharadas soperas de albahaca fresca picada.
- 450 gramos de pasta fresca de espinaca o integral.
- Pimienta negra recién molida.
- Ramitos de albahaca para aderezar.

Calienta el aceite en una sartén y fríe la cebolla y el ajo hasta que empiecen a oscurecerse. Añade los tomates, el chile y el jugo de tomate, y cuécelos en fuego lento durante diez minutos. Revuelve de manera ocasional. Agrega la mostaza, las aceitunas y la albahaca, y déjalos cocer otros diez minutos. Sazona bien con la pimienta. Mientras tanto, cuece la pasta en bastante agua hirviendo hasta que quede *al dente*. Escúrrela y échala de inmediato en la salsa. Adereza con las hojas de albahaca y sirve.

## Equilibrio: décimo día

Al despertar: Agua tibia con jugo de limón recién exprimido.

Desayuno: Jugo de la fruta de tu elección; *kedgeree* (véase p. 220); bioyogurt.

Media mañana: Plátano u otra fruta de fácil digestión, como naranja, manzana, pera y melón, con la frecuencia que desees.

Almuerzo: Sopa de alcachofa y avellana (véase p. 221); raita (véase p. 218); ensalada mixta grande rociada con nueces y semillas; bioyogurt vivo; jugo de zanahoria y/o manzana.

Media tarde: Frutas y vegetales crudos con la frecuencia que desees.

Merienda: Arroz integral cocido; berenjenas rellenas (véase p. 222 ); espinacas al vapor; bioyogurt.

Noche: Fruta fresca con la frecuencia que desees.

Bebe al menos tres litros diarios de agua de manantial, jugo de fruta o té de hierbas.

## Suplementos purificadores recomendados

Cáscaras de zaragatona (una o dos cucharadas soperas antes de dormir).
Extractos estandarizados de cardo lechar.
Algas de color verde azulado.
Si tiendes a estreñirte, prueba el aloe vera.

## Antioxidantes

Vitamina C (un gramo, de preferencia como Éster-C, tres veces al día).
Vitamina E (286 mg diarios).
Selenio (200 microgramos diarios).

## Suplementos equilibrantes recomendados

Un suplemento vitamínico y mineral que proporcione cerca del 100 por ciento de la cantidad diaria recomendada de todos los micronutrientes posibles.
Aceite de prímula.
Un adaptógeno, como el ginseng siberiano.

## Escoge tu...

Ejercicio del día . . . . . . . . . . . . . . . . . . . . . . . . . . . . . . . . . .
Terapia complementaria del día . . . . . . . . . . . . . . . . . . . .
Método de relajación del día . . . . . . . . . . . . . . . . . . . . . .
Placer del día . . . . . . . . . . . . . . . . . . . . . . . . . . . . . . . . . . .

## Kedgree (rinde cuatro raciones)

- 400 gramos de arroz integral cocido.
- 4 huevos duros de granja picados.

- 300 gramos de eglefino incoloro ahumado y escamado.
- 4 cucharadas soperas de perejil fresco picado.
- 4 cucharadas de cilantro fresco picado.
- 4 cebollas tiernas finamente picadas.
- 4 cucharaditas de *garam masala* o polvo de curry recién molido.
- 150 gramos de bioyogurt.
- Pimienta negra recién molida.
- Nuez moscada rallada.
- Jugo de limón recién exprimido.
- Berros para aderezar.

Mezcla todos los ingredientes –con excepción de los últimos tres. Colócalos en una fuente y rocíalos con la nuez moscada y el jugo de limón. Adereza con berros y sirve.

## Sopa de alcachofa y avellana (rinde cuatro porciones)

- 450 gramos de alcachofas.
- El jugo de 1 limón recién exprimido.
- 1 cucharada sopera de aceite de oliva extra virgen.
- 1/2 cebolla picada en trozos gruesos.
- 600 ml de caldo de verduras.
- 100 gramos de avellanas tostadas.
- 2 cucharadas soperas de aceite de avellana.
- 200 gramos de queso *fromage frais* o yogurt.
- Pimienta negra recién molida.
- Avellanas extratostadas y machacadas como cobertura

Pela las alcachofas y pártelas en cubos. Sumerge las piezas en una olla de agua fría con el jugo de limón para evitar la decoloración. Calienta el aceite de oliva y fríe la cebolla hasta que se suavice. Desagua las alcachofas y agrégalas a la sartén de la cebolla junto con el caldo de verduras. Primero deja que hiervan y luego pon el fuego lento durante veinte minutos. Entre tanto, machaca las avellanas y mézclalas con el aceite de avellana. Mueve la sopa hasta que quede líquida, añade el *fromage frais* y sazona al gusto con la pimienta. Por último, agrega la pasta de avellana y recalienta.

Añade las avellanas extratostadas y machacadas antes de servir.

### Berenjenas rellenas (rinde cuatro porciones)

- 2 berenjenas grandes.
- 3 cucharadas soperas de aceite de oliva extra virgen.
- Pimienta negra recién molida.
- 2 cebollas grandes.
- 2 dientes de ajo.
- 2 jitomates bola picados.
- 1/2 cucharadita de miel de acacia.
- 1 cucharada sopera de perejil fresco picado.
- 1 cucharada sopera de cilantro fresco picado.
- 1/2 cucharadita de canela recién molida .
- 1/2 cucharadita de semillas de cilantro recién molidas.
- 1 cucharada sopera de almendras de pino o avellanas machacadas.

Precalienta el horno a 180 grados centígrados. Corta los extremos hojosos de las berenjenas, coloca las verduras en una cacerola grande, llénala con agua muy caliente y deja que hierva durante diez minutos. Drena las verduras, y échalas en agua fría hasta que puedas tomarlas con las manos. Corta las berenjenas en forma longitudinal por la mitad. Extrae la mayor parte de la pulpa hasta dejar cascarones de un centímetro de grueso. Vierte un poco de aceite en el interior de los cascarones y sazónalos con la pimienta. Colócalos en una lámina para hornear aceitada y cuécelos durante 30 minutos. Entretanto, pica la pulpa extraída y apártala.

Calienta una cucharada sopera de aceite de oliva y fríe la cebolla y el ajo durante cinco minutos o hasta que comiencen a oscurecerse. Agrega a la sartén los tomates picados, la miel, las hierbas y las especias, y cuécelos a fuego lento durante quince minutos. Añade la pulpa de berenjena picada y las almendras de pino, y sigue cocinando durante otros diez minutos. Sazona al gusto.

Retira del horno los cascarones de berenjena. Rellénalos con la mezcla de tomate condimentada y sirve de inmediato.

## Un futuro de alimentación sana

Después de seguir una dieta de desintoxicación purificadora y equilibrante, sé cauto y paulatino cuando vuelvas consumir alimentos de digestión más difícil como carnes rojas, quesos fuertes y pan.

Prosigue tu consumo de suplementos equilibrantes durante al menos otros 20 días, y entonces, deja los adaptógenos y continúa con los suplementos vitamínicos y minerales, los antioxidantes y el aceite prímula.

# ÍNDICE ANALÍTICO

*El plan integral de desintoxicación* se terminó de imprimir en mayo de 2004, en Encuadernación Ofgloma, S.A. Calle Rosa Blanca No. 12, col. Santiago, Acahualtepec, C.P. 09600, México, D.F.